Johanna,
un destin ébranlé
par le nazisme

De la même auteure

Feu, tome 5 : *Le patriote errant*, Éditions Libre Expression, 2016.

Feu, tome 4 : *En 1837, j'avais dix-sept ans*, Éditions Libre Expression, 2012.

Feu, tome 3 : *Fleur de lys*, Éditions Libre Expression, 2007.

Feu, tome 2 : *L'étranger*, Éditions Libre Expression, 2005.

Feu, tome 1 : *La rivière profanée*, Éditions Libre Expression, 2004.

Wardo et Lélan à l'école de pilotage, Éditions du Phœnix, 2015.

Bip, fantaisie philosophique, Éditions Alexandre Stanké, 2001.

Bécassine, l'oiseau invisible, Éditions Alexandre Stanké, 2000.

L'Oiseau invisible, Éditions Stanké, 1994.

Le Grand Blanc, Éditions Libre Expression, 1993 ; collection « Zénith », 2002 ; collection « 10 sur 10 », 2007.

Les Ailes du destin. L'alouette en cage, Éditions Libre Expression, 1992 ; collection « Zénith », 2002 ; collection « 10 sur 10 », 2007.

Sire Gaby du Lac, Quinze Éditeur, 1989.

Le Sorcier, Éditions La Presse, 1985 ; VLB éditeur, collection « Bonheurs de lecture », 2004.

Au nom du père et du fils, Éditions La Presse, 1984 ; Paris, Presses de la Cité, 1994 ; VLB éditeur, collection « Bonheurs de lecture », 2004.

FRANCINE OUELLETTE

Johanna,
un destin ébranlé
par le nazisme

RÉCIT

Libre Expression
Une société de Québecor Média

Catalogage avant publication de Bibliothèque et Archives nationales du Québec et Bibliothèque et Archives Canada

Ouellette, Francine, 1947-, auteure
     Johanna, un destin ébranlé par le nazisme / Francine
     Ouellette.
     ISBN 978-2-7648-1274-7
     1. Ouellette, Francine, 1947- - Famille.
     2. Écrivains québécois - 20e siècle - Biographies. I. Titre. II
     Titre : Un destin ébranlé par le nazisme

PS8579.U423Z46 2018   C843'.54   C2018-941133-3
PS9579.U423Z46 2018

Édition : Marie-Eve Gélinas
Révision et correction : Karen Dorion-Coupal et Céline Bouchard
Couverture : Chantal Boyer
Mise en pages : Johannie Brosseau
Photo de l'auteure : Sarah Scott

Remerciements
Nous remercions le Conseil des Arts du Canada et la Société de développement des entreprises culturelles du Québec (SODEC) du soutien accordé à notre programme de publication.
Gouvernement du Québec – Programme de crédit d'impôt pour l'édition de livres – gestion SODEC.

 Canadä

Les Éditions Libre Expression
Groupe Librex inc.
Une société de Québecor Média
1055, boul. René-Lévesque Est
Bureau 300
Montréal (Québec) H2L 4S5
Tél. : 514 849-5259
Téléc. : 514 849-1388
www.edlibreexpression.com

Dépôt légal – Bibliothèque et Archives nationales du Québec et Bibliothèque et Archives Canada, 2018

ISBN : 978-2-7648-1274-7

Distribution au Canada
Messageries ADP inc.
2315, rue de la Province
Longueuil (Québec) J4G 1G4
Tél. : 450 640-1234
Sans frais : 1 800 771-3022
www.messageries-adp.com

Diffusion hors Canada
Interforum
Immeuble Paryseine
3, allée de la Seine
F-94854 Ivry-sur-Seine Cedex
Tél. : 33 (0)1 49 59 10 10
www.interforum.fr

LE PAYS DE L'ENFANCE

VERGISSMICHNICHT

Autour de ma maison, fin mai, le myosotis fleurit. Il y a longtemps, j'en ai transplanté, sans autre intention que de voir ces plantes s'étendre à leur guise. Elles se sont si bien multipliées qu'elles forment au printemps un couvre-sol bleu d'où perce, ici et là, le jaune complémentaire du pissenlit.

Ces fleurs me parlent de Johanna et de la légende qu'elle m'a racontée à leur sujet.

Un jour, le Créateur se promenait dans le jardin d'Éden, le paradis terrestre. Il allait d'une plante à l'autre, accordant un nom à chacune. «Toi, ce sera Rose; toi, Sapin; toi, Iris; toi, Lierre.»

Ainsi, Il passait, semant l'émoi. La petite, toute petite fleur bleue attendait son tour, impatiente de connaître le nom qu'elle porterait. Or, rendu à elle, le Créateur continua sans s'arrêter, ne l'ayant pas vue. «Ne m'oubliez pas!» cria-t-elle.

Il entendit cette petite, toute petite voix à ses pieds et baissa le regard. «Toi, tu t'appelleras Ne m'oubliez pas. Tu seras l'emblème du souvenir et de l'amour fidèle.»

Depuis, dans le langage vernaculaire, le myosotis porte ce nom, traduit en anglais par *Forget-me-not* et en allemand par *Vergissmichnicht*.

Est-ce la voix de Johanna que je veux faire entendre dans ce récit ? Ou, à travers la sienne, la petite, toute petite voix de ceux et celles qui ont été muselés par la folie haineuse de Hitler ?

LE VILLAGE

Certains prétendaient qu'elle parlait français avec un accent. Je réfutais la chose, persuadée qu'elle n'en avait point. En réalité, mon oreille s'était simplement habituée à la musique de son langage. De toute façon, peu m'importait la prononciation des mots puisque ces mots-là m'ont transportée dans le village et l'enfance de Johanna.

Bexbach est le nom de ce petit village d'Allemagne de la région du Saarland, limitrophe de l'Alsace. La frontière avec la France ne passait pas loin.

Avec ses copines, Johanna s'y rendait parfois, histoire de s'amuser de la parlure des voyageuses de la nation voisine, avec leur voix haut perchée, leur accent pointu et leur débit accéléré. La plupart d'entre elles s'appliquaient un rouge à lèvres à la couleur très prononcée alors en vogue dans leur pays, ce qui ajoutait à leur incessant flot de paroles une touche fort divertissante, voire exotique. Pour les imiter, Johanna et les autres filles se barbouillaient les lèvres de jus de cerise et lançaient pêle-mêle des sons « à la française » en s'en revenant de leur virée à la frontière.

Cette ligne imaginée par les grands de ce monde était surveillée par des douaniers bilingues que seul l'uniforme distinguait des villageois. Gens du terroir comme l'ensemble de la population, ces hommes échangeaient conversations, services et semences, introduisant ainsi la tomate dans les potagers de leurs voisins de Bexbach. Fruit savoureux, rouge comme la bouche des Françaises.

L'ANCIEN CHÂTEAU

Toute pavée de briques polies, la rue principale du village rejoignait Homburg. Ah! Homburg! Pour les écoliers de Bexbach, c'était le lieu d'une grande expédition annuelle. Partis de tôt matin avec leur casse-croûte, ils s'y rendaient à pied sous la surveillance de leurs enseignants. L'imagination en effervescence à l'idée de visiter les ruines du château de l'ancien duché, ils se relataient en chemin la terrible histoire du seigneur détraqué qui y avait enfermé des vipères dans un couloir souterrain. Ces vipères s'étaient-elles échappées? Si oui, s'étaient-elles reproduites dans les environs sans que personne s'en aperçoive? On frémissait d'avance et on prenait des précautions. «Il faudra regarder où l'on pose le pied. Je veillerai sur toi et tu veilleras sur moi. Si l'on se fait mordre, il faut sucer le venin et le recracher. Oui, c'est ça qu'il faut faire pour ne pas mourir.»

Le château avait été détruit lors des guerres napoléoniennes. La présence d'une grosse pierre, qui aurait été roulée à l'entrée de ce passage secret dans le but d'en condamner l'accès, rendait vraisemblable la rumeur d'un trésor caché. On se

prenait à rêver de pièces d'or et de pierres pré
cieuses gardées par un squelette au fond d'un trou
dans lequel on serait tombé par hasard. «Je t'aide
à sortir avec le trésor et on partage. — Mais les
vipères? — Ah! oui, les vipères!...» De légers
frissons d'horreur se combinaient avec le goût de
l'aventure et du risque, avec la possibilité de frôler
la mort ou de faire fortune.

Rien de tout cela n'est arrivé, bien sûr, mais
Johanna me laissait sur l'impression que cela aurait
pu survenir. Que ce ne soit pas arrivé dans son
temps ne signifiait pas pour autant que cela ne se
produirait jamais. Alors à mon tour, l'imagination
à bride abattue, je visitais les ruines de l'ancien
château de Homburg.

LA FILLETTE AUX OIES

Un petit cours d'eau coulait parallèlement à faible distance de cette rue principale. Il avait d'ailleurs été à l'origine de la toponymie du village, *Bach* signifiant « ruisseau ». Johanna y conduisait les oies, une de ses tâches favorites.

Au retour des classes, avant même qu'elle pose le pied dans la cour, les palmipèdes s'agitaient et se mettaient à cacarder. L'heure bénie approchait. Le temps qu'elle troque le costume d'écolière contre les vêtements journaliers, leur maîtresse adorée allait les emmener barboter dans leur élément. Johanna les appelait d'abord une à une par leur nom et les mettait en ordre. Pas question de s'éparpiller en chemin. Puis, dociles, les blanches oies la suivaient à la queue leu leu, en tanguant comiquement de gauche à droite.

Un lien très fort unissait la blonde fillette à ces oies domestiquées qui ont coutume d'adopter une personne et de veiller jalousement sur elle. À coups d'ailes et de bec, elles la protégeraient au besoin. Johanna me racontait que, lors d'une dispute, une petite voisine lui avait donné une tape. La pauvre enfant fut aussitôt assaillie par ces fidèles gardiennes, qui ne lâchèrent prise que sous les coups de balai de sa mère.

Johanna évoquait souvent les heures agréables passées en compagnie de ses amies ailées. Heures de paix et de liberté, pieds nus dans le ruisseau, à sentir monter le sable fin entre ses orteils. Avant de les ramener au bercail, elle s'assoyait sur un rocher, toujours le même. À ce signal, à tour de rôle, chacune venait sur ses genoux. Du bout de l'index, doucement, Johanna leur caressait la tête et leur parlait. J'étais à ses côtés en pensée, faisant faux bond à la logique des adultes qui ne comprennent plus le plaisir simple de communier avec le monde animal.

PAR LES BEAUX
DIMANCHES

Au bout de la rue où vivait Johanna, un moulin recevait ce ruisseau. Une auberge y avait été annexée et le propriétaire avait aménagé la roue à aubes de manière que l'eau se déverse dans un étang pour les cygnes et, un peu plus loin, dans un lac artificiel. Autour de celui-ci, des arbres ombrageaient des tables en bois. Par les beaux dimanches, les villageois avaient l'habitude de s'y rencontrer. Les adultes jasaient entre eux tout en faisant mine d'ignorer les jeunes qui venaient parfois voler des lapées de mousse sur leurs chopes de bière.

Johanna a appris à nager à cet endroit selon une technique des plus rudimentaires. Couchée sur une planche en guise de moyen de flottaison, elle a pratiqué les mouvements de la brasse que son frère aîné lui avait enseignés. À un moment donné, elle s'est tout bonnement rendu compte que la planche n'était plus nécessaire.

J'aurais aimé être de ces enfants-là, à passer de joyeux dimanches avec mes cousins, cousines et amis sous l'œil de mes parents se reposant de leur semaine de travail. En pensée, je voyais tourner la roue à aubes et tomber l'eau dans l'étang des majestueux cygnes ; j'entendais les rires et, sous les cris de joie, j'assistais aux courses de la traversée du petit lac. Johanna s'y démarquait sûrement, car elle nageait très bien.

LA TERRE DE L'ANCÊTRE

Ainsi que plusieurs de ses frères, cousins et voisins, Joseph, le père de Johanna, travaillait dans une mine de charbon. En échange de leur dur labeur, les mineurs étaient assez bien rémunérés et bénéficiaient de certaines protections, garanties par leur syndicat.

Sans être riche, la famille de Johanna vivait convenablement dans une maison qui appartenait à Joseph. Elle avait été construite sur un terrain que le duc de Homburg avait jadis offert à un ancêtre de Johanna, en l'affranchissant. Entendre parler de serfs et de nobles me transportait dans la vieille Europe, modelée sur la distinction des classes. À ma connaissance, au Québec, il n'y avait ni comte, ni duc, ni archiduc. Bien sûr, il y avait la reine dans sa lointaine Angleterre, et son image sur notre monnaie m'était familière. Par trop familière à mon goût, car pour l'avoir aperçue aux nouvelles télévisées, coiffée de son chapeau et avec son éternelle sacoche enfilée à l'avant-bras, je trouvais qu'elle ressemblait à n'importe quelle dame du quartier endimanchée pour la messe. Je lui préférais de loin le duc de Homburg, un peu inquiétant, il est vrai, avec son idée d'enfermer des vipères dans un souterrain, mais tellement plus compatible avec mon esprit romanesque.

La raison pour laquelle cet ancêtre avait été affranchi vers la fin du XVIIIe siècle nourrissait délicieusement mon imaginaire. En ce temps, l'Allemagne était constituée d'environ deux cents États plus ou moins organisés selon l'archaïque système féodal, où de riches possesseurs de terres profitaient du travail des paysans à leur service. Cet ancêtre cultivait donc un sol qui appartenait au duc de Homburg. S'estimait-il traité avec justice par ce dernier? On le suppose. Quoi qu'il en soit, il s'était inscrit dans le registre familial comme le héros dont l'acte courageux avait libéré sa descendance de la servitude.

Pour Johanna, l'expédition à Homburg avait une résonance toute particulière. Ces ruines lui parlaient plus qu'à tout autre écolier. Elle y communiait avec le passé et avec l'homme qui avait changé le cours de leur destin.

Ce jour-là, le tocsin du château sonna l'alerte qu'un feu y faisait rage. Obéissant à leurs devoirs seigneuriaux, les habitants accoururent porter secours. En arrivant sur les lieux, ils trouvèrent le duc et sa femme effondrés de douleur, leur fils étant piégé dans une pièce. L'enfant allait périr, si ce n'était déjà fait. On ne sait trop comment l'ancêtre connaissait l'emplacement de cette pièce, toujours est-il qu'il brava les flammes dans l'intention de sauver son jeune maître. Au bout d'un long moment, il en ressortit avec le petit, sain et sauf, dans les bras. En marque de reconnaissance, le duc lui alloua une de ses terres dans la région de Bexbach.

Cela représentait beaucoup plus qu'un simple droit de propriété, car il accédait ainsi au statut d'homme libre, en mesure de jouir entièrement des fruits de son travail. Lui affranchi, sa descendance le devenait également. Il cultiva son domaine avec amour, ardeur et sagesse, respectant la tradition d'en léguer des parties à ses héritiers mâles à leur mariage. De génération en génération, ce bien patrimonial fut morcelé, et c'est ainsi qu'à l'instar de ses frères Joseph reçut de son père, Balthazar, un terrain lorsqu'il prit femme.

FLEUR DE MARS

Le terrain de Joseph jouxtait celui de Balthazar. De part et d'autre de chacun, il y avait une cour, une basse-cour, un potager et, du côté de l'aïeul, un four à pain ainsi que des arbres fruitiers : pruniers, pommiers, poiriers et pommiers-poiriers, dont tous les membres de la famille profitaient. Le patriarche avait aussi conservé un vaste pré à l'extérieur du village où chacun pouvait cultiver ses pommes de terre et le fourrage nécessaire à l'hivernage de ses bêtes.

Johanna a donc grandi à proximité de ses grands-parents, les seuls qu'elle connaissait et qui réunissaient sa généalogie paternelle et maternelle. En effet, devenu veuf alors qu'il avait dix enfants, Balthazar avait épousé une veuve qui en avait quatre, dont Margaretha, future femme de Joseph. De son défunt aïeul maternel, Johanna savait qu'il avait été un huguenot français en provenance d'Alsace et qu'il avait exercé le métier de pâtissier.

Un de ses oncles occupait avec sa famille la partie mitoyenne de leur maison. Maçon de son métier, il avait été le maître d'œuvre de l'habitation commune de pierres grises dont les ouvertures étaient enjolivées de maçonnerie rose.

Celle-ci se distinguait de nos demeures rurales, car elle abritait à la fois les hommes et les animaux domestiques. En soi, elle constituait un microcosme où tournait la roue de la vie au fil des saisons, les moissons et l'abattage des bêtes assurant la subsistance qui, à son tour, assurait l'élevage et la continuation des cultures. Tous destinés à se retrouver un jour dans l'assiette, les chèvres, les oies, les lapins et un porc occupaient la moitié de la cave en ciment. L'autre moitié regorgeait de provisions : pommes de terre et légumes du potager, choucroute dans de gros pots de grès, vin contenu dans une immense bouteille vêtue d'osier et, alignés sur des étagères, pots de compote, de gelée et de confiture de pomme, de prune, de poire et de pomme-poire. Dans un coin se trouvait la réserve de charbon pour l'hiver et, entassée au grenier, la récolte de foin.

La maisonnée vivait entre ces deux étages, allant de l'un à l'autre selon les besoins, passant de l'arôme des mets cuisinés à l'odeur du crottin ou au parfum envoûtant du fourrage. Les bêlements, caquètements et grognements se mêlaient aux conversations, aux rires et aux pleurs. Un lien existait entre tous les occupants de cette maison et les reliait à la terre. Comme plusieurs habitants de Bexbach, et malgré le gagne-pain de la mine, les parents de Johanna avaient conservé le mode de vie inhérent à leurs origines paysannes.

Quand Johanna est née, en mars 1914, la réserve de foin s'était amenuisée au grenier. On ne s'en alarmait pas, car bientôt les animaux iraient brouter dehors. Dans la cave, les oies couvaient leurs œufs et les chevreaux tétaient leur mère. Au fond de la cour fleurissait le myosotis. En la voyant toute rose et blonde dans les bras de sa mère, son père l'a affectueusement surnommée sa « fleur de mars ».

OÙ EST TON PAPA ?

Des boutiques et différents commerces s'échelonnaient des deux côtés de la rue principale. Tout comme il y avait un bon et un mauvais boulanger à peine éloignés l'un de l'autre, ainsi s'élevaient à peu de distance une église catholique et un temple protestant où, somme toute, on priait le même Dieu.

Johanna fut baptisée dans l'église. Sept mois plus tard éclata la Première Guerre mondiale.

En raison de son très jeune âge durant ce conflit, elle avait peu de souvenirs s'y rattachant. Elle se rappelait ce qu'on lui avait maintes fois raconté à propos de la mobilisation de son père, dont la division avait été expédiée sur le front russe en raison de la sympathie des habitants du Saarland à l'endroit des Français. Forcément, le Russe faisait davantage figure d'ennemi. Tirer sur un Français, c'était comme tirer sur un voisin avec lequel on s'entend bien. Le Russe était un étranger. On pouvait lui imputer tous les défauts et toutes les cruautés. Dans cette guerre, c'était « moi ou lui », l'un des deux ennemis devait tuer l'autre. L'être humain disparaissait derrière l'uniforme. Le père de Johanna portait celui du fantassin allemand au casque pointu. Quelque part, serrée contre son cœur, il conservait une photo de sa famille qu'il avait fait prendre dans un studio au cours d'une permission.

Johanna y figure sur les genoux de sa mère, un chien en bois posé sur elle. Évidemment, cette jolie pouponne n'a aucune idée de l'importance de cette prise de photo, contrairement à la majorité de ceux et celles qui l'entourent. Bel homme arborant la moustache, son père se tient debout derrière, grand et droit comme le soldat qui ira les défendre au loin, sans savoir s'il reviendra. Ou dans quel état il reviendra. Assise, sa mère a le regard vif et le port altier d'une femme déterminée à se montrer courageuse en son absence et à prendre bien soin de leurs quatre enfants. Pour cette occasion, habile couturière, elle avait confectionné des vêtements à la mode matelot pour chacun d'eux, Johanna en blanc et marine, les trois autres en marine et blanc.

Âgée d'environ neuf ans, Hélène, l'aînée, et Otto, aux alentours de sept ans, sont debout à la droite de leur mère. L'air sage et grave, ils sont conscients que l'excitation de cet événement est ombragée par la raison qui le motive. On voit qu'ils tiennent à faire honneur à leurs parents et sont figés dans leur pose.

Agnès, une gamine de quatre ou cinq ans, déroge à la solennité du moment. Elle se tient à gauche de sa mère. Au lieu de fixer l'objectif, ses yeux pétillants convoitent une boîte de chocolats. Le photographe a promis de lui en donner si jamais l'exercice lui faisait mal comme elle l'appréhendait. Sa binette traduit avec éloquence que tout est décidé d'avance. Oui, cela lui fera mal. Et cela a fait mal, très mal.

Le photographe en a bien ri. La sœur et le frère aînés ont sans doute été partagés entre la honte de ce mensonge et l'envie du chocolat dégusté par Agnès. Attendris, les parents ont cueilli cette fleur de l'innocence alors que la Faucheuse guerrière passait déjà dans le champ humain.

*

Le père et la mère de Johanna firent connaissance lorsque leurs familles respectives n'en formèrent qu'une seule à la suite du mariage de leurs parents. Alors adolescent, le calme Joseph s'éprit instantanément de la pétulante Margaretha, qui, de son côté, l'avait choisi comme victime favorite de ses espiègleries. Encore au stade de la puberté, elle s'employait à lui jouer des tours, ce qui était peut-être une façon inconsciente de le courtiser. En vieillissant, ils devinrent franchement amoureux et se marièrent.

Un amour profond unissait Margaretha au mari que la guerre emportait loin d'elle, loin de ses enfants et de sa demeure. Loin de ce que Joseph était lui-même. Cet homme doux et réfléchi, incapable d'abattre les bêtes destinées à l'alimentation, se voyait forcé de participer à la grande boucherie humaine.

Le village de Bexbach s'était vidé de ses hommes en âge de combattre, dont certains oncles de Johanna. L'un d'eux, Andreas, fils benjamin de Balthazar, avait eu vite fait de déserter et était revenu à la maison. La guerre n'était pas pour lui, disait-il, mais la guerre n'est pour personne. Le soulagement des parents se teintait d'une inquiétude fondée, car fuir l'armée comportait le risque d'être exécuté. « Ou tu avances et tu tues l'ennemi devant toi, ou l'on te tue par-derrière si tu recules en lâche », résumait l'impitoyable logique militaire d'alors.

Des patrouilles étaient affectées à la chasse aux déserteurs, fouillant hameaux et villages à la recherche de ceux qui avaient quitté les rangs. Or, l'une d'elles se pointa inopinément à Bexbach. Grâce à la solidarité d'un villageois, la nouvelle parvint à la maison paternelle avant que cette escouade y fasse irruption, permettant ainsi d'ensevelir le fugitif sous l'amoncellement de pommes de terre dans la cave. Les soldats repartirent bredouilles.

Dès ce moment, dans la maison de Balthazar, on se mit à craindre le retour des patrouilleurs. On dormait mal la nuit et on n'osait trop s'aventurer dehors, le jour. Peu à peu, la méfiance s'installa. Et si quelqu'un les dénonçait? Simultanément, dans l'esprit du fils, son acte de rébellion se muait en lâcheté. Il supportait mal le regard de ceux dont l'un des leurs croupissait dans les tranchées pendant que lui sommeillait sous l'édredon de plumes. N'y tenant plus, Andreas retourna au front pour y trouver la mort à l'âge de vingt ans.

*

Balthazar apprit le décès de ce fils par une lettre bordée de noir. Au rythme des victoires et des défaites, des lettres semblables parvenaient à Bexbach dans les mains tremblantes des destinataires, qui retardaient le moment de les décacheter, prolongeant ainsi l'illusion d'avoir un fils, un frère, un père ou un mari toujours en vie. Quelques invalides étaient revenus. Désormais impropres au service militaire, ils tentaient de se réadapter avec leurs moignons ou leur tête fêlée. Une de leurs voisines, qui avait épousé le plus bel homme du village, le recueillit à la gare dans un panier, sans bras ni jambes, réduit à un tronc.

Margaretha apprit un jour que son Joseph avait été porté disparu au cours de la campagne de Macédoine. Entre les lignes, cela signifiait que, manquant à l'appel, on n'avait pas retrouvé son corps. Ce corps qu'elle avait tant aimé et qui l'avait rendue mère à quatre reprises. Ce corps, irrémédiablement détruit et en décomposition quelque part. Ce fut un choc terrible. Une amputation à froid de la moitié d'elle-même, douce moitié qui veillait sur elle et leurs enfants. Elle sombra dans une dépression profonde et fit voler en éclats le beau service de porcelaine reçu en cadeau de noces.

Son entourage vint à la rescousse. À tour de rôle, on l'aidait à s'occuper de la maison et à prendre soin d'Hélène, d'Otto et d'Agnès. Quant à Johanna, elle fut placée chez son grand-père, Balthazar, éprouvé par la perte d'un second fils.

Elle y fut nourrie au lait de vache, qui lui transmit la brucellose. Gravement atteinte par cette maladie infectieuse, la petite recevait quotidiennement la visite d'une sœur franciscaine qui lui prodiguait les soins adéquats. La « fleur de mars » en réchappa et sa mère se résigna à son sort de veuve. Elle n'était qu'une parmi tant d'autres à pleurer en cachette sur les vêtements du défunt, incapable de s'en départir. Sa veste, son pantalon, ses bottes de mineur, son habit de noces qu'il portait lors des grandes occasions, tout ça, c'était encore lui. C'était toujours lui, qui jamais ne reviendrait. Sous la chaude plume de l'édredon, elle frissonnait dans le lit rempli de vide. Le vide de son Joseph, de sa main sur sa hanche, de sa tiède haleine dans son cou.

La roue du moulin de l'auberge, en vain, tournait et déversait l'eau dans l'étang des cygnes puis dans le lac. Plus personne n'y allait. On appréhendait le son strident d'une sirène et, à la suite du passage des avions, les garçons ramassaient des douilles pour les collectionner. Johanna se souvenait de l'impression d'avoir été serrée contre quelqu'un et emportée en vitesse. Elle en retenait un vague sentiment d'urgence et de danger. Elle apprit plus tard que, dans la crainte d'un bombardement, sa mère avait tout juste eu le temps de la prendre et de l'emmener se réfugier dans la cave avec ses frères et sœurs.

Un souvenir plus précis lui restait : celui de faire la queue parmi de faméliques enfants allemands, une écuelle à la main, afin de recevoir de la soupe distribuée par des soldats français à la fin de la guerre. Elle se rappelait le fumet appétissant que dégageait leur gros chaudron ainsi que la gentillesse de ces ennemis, responsables en quelque sorte de la disparition de son papa.

*

L'armistice avait sonné le 11 novembre 1918. On estime à plus de dix millions le total général des pertes humaines, dont 1 950 000 pour l'Allemagne et 1 700 000 pour la Russie, qui avait signé en 1917 un armistice russo-allemand, à la suite de la révolution bolchevique.

Johanna n'avait aucune idée de ces nombres astronomiques, mais elle savait que son grand-père avait perdu un troisième fils, nommé Nicolas. Malgré les deuils et les blessures, les choses changeaient lentement autour d'elle. La vie reprenait son cours et, telles de petites joies qui fleurissent sur les décombres, les enfants retrouvaient leurs jeux.

Elle s'amusait devant la maison avec son chien de bois quand un étranger s'arrêta. Hirsute, la barbe longue, maigre et dépenaillé, il la regardait avec insistance. En dépit de son allure, cet homme ne l'effrayait pas. Il y avait chez lui quelque chose qui inspirait confiance. Il se pencha enfin, prit délicatement dans sa main décharnée une de ses tresses blondes et demanda :

— Quel est ton nom, petite ?

— Johanna.

— Et où est ton papa ?

— Mon papa est mort à la guerre, répondit-elle sans savoir qu'elle parlait à l'auteur de ses jours.

L'ICÔNE

En proie à une trop vive émotion, Margaretha s'évanouit en reconnaissant l'homme accroupi devant Johanna. Quand elle revint à elle, son Joseph était là. Vivant. J'ai souvent tenté d'imaginer ce que l'une et l'autre se sont dit à ce moment précis. Ce qu'ils ont fait. Invariablement, une scène hollywoodienne de retrouvailles se jouait dans ma tête, avec ses longues embrassades. Sans doute n'en fut-il rien. Pour sa part, Johanna retenait de cet événement la certitude que quelque chose d'extraordinaire venait d'arriver.

Elle réalisa bien vite que cet homme comblait un vide dans la maison et dans le cœur de sa mère. L'attitude de cette dernière était nouvelle pour Johanna, tout comme était nouveau le climat qui régnait. Celui dont l'absence avait été si présente était de retour, indemne. Ou presque. Du moins, en un seul morceau. C'était le bel homme en uniforme de la photo. Bien sûr, tout dépenaillé et amaigri, il ne se ressemblait plus tellement, mais c'était bel et bien son papa, lui assurait-on. C'était bien celui qu'elle avait aimé sans même le connaître vraiment. Celui qu'elle avait pleuré parce que sa mère le pleurait. Intimidés au début, Hélène, Otto et Agnès avaient peu à peu reconstitué l'image qu'ils avaient conservée de lui.

Pour Joseph, ce fut sans doute étrange de se retrouver chez lui, avec sa femme et ses enfants, les mêmes meubles, la même fenêtre donnant sur le jardin, les mêmes vêtements rangés dans les tiroirs et les armoires. Cela aurait pu lui donner l'illusion qu'il était parti la veille et qu'il n'avait pas connu l'horreur, mais ses enfants avaient grandi, et le beau service de porcelaine n'était plus là. Il sortit de sous sa chemise une petite icône de bois qu'il gardait avec la photo de famille. Il l'avait ramassée dans un fossé boueux en traversant un village dévasté. Il lui fit une place d'honneur sur le mur de la cuisine. «Plus jamais l'homme contre l'homme», exhortait cette icône.

«Plus jamais la guerre», priait Joseph, qui frémissait de crainte qu'elle revienne. Et de honte qu'elle ait eu lieu.

GERMANSKY

Lorsque j'ai vu le film *Joyeux Noël*, réalisé par Christian Carion en 2005, j'ai automatiquement pensé au père de Johanna. Le scénario est basé sur une réelle fraternisation qui eut lieu entre soldats alliés et allemands, à Noël 1914, sur le front de l'Ouest.

Le film nous situe en cette nuit où, tapis dans leurs tranchées, ces soldats ennemis ont ordre de s'entretuer. Soudain, du côté allemand, on entonne *Nuit silencieuse* après avoir fiché à la hâte un sapin illuminé sur le parapet. Leurs adversaires français se mettent à fredonner ce chant de Noël auquel se joint la cornemuse britannique. Bientôt, en des langues différentes, on glorifie la naissance de Celui qui prêchait « Aimez-vous les uns les autres ». Des deux bords, on demande la permission d'aller chercher les camarades blessés ou tués, ce qui est accordé. Un climat de paix s'installe et les hommes jetés dans cette tourmente démentielle décident tacitement d'une trêve. Ils osent sortir de leur trou de boue, communiquent par gestes, se montrent les photos de leur fiancée, de leur femme et de leurs enfants. Ils font des échanges de chocolat, de saucisson, de vin et de cigarettes. Ils ne sont que des hommes sous les étoiles qui ne comprennent plus pourquoi ils devraient s'enlever la vie. Cette vie de l'Autre qui ressemble à la leur, avec ses amours et son quotidien. Avec le toit et la table pour lesquels on travaille au fond d'une mine, ou dans un champ, une boulangerie, une usine ou une salle de classe.

Le lendemain, les soldats allemands ayant participé à ce sublime instant furent expédiés sur le front russe. C'est en traversant les montagnes du Caucase menant à ce front que le père de Johanna avait été porté disparu. Que lui était-il donc arrivé?

Son histoire relevait de l'invraisemblable, et je ne me lassais pas de l'entendre. Des images naissaient dans ma tête. Par une nuit noire, en file sur des chemins tortueux, les soldats de son unité gravissaient les pentes raides, faisant rouler des cailloux sous leurs bottes. Par endroits, ils devaient escalader des passages étroits, chargés de tout leur équipement. Torturés par la soif et la fatigue, ils obéissaient à l'ordre de franchir ces hauts sommets. Dans la région natale de Joseph, il n'y avait rien de tel. Par maladresse ou malchance, il fit un faux pas et tomba en bas d'une falaise.

S'était-on aperçu de sa chute? Avait-on jugé trop hasardeux de le récupérer? L'avait-on cru mort? La troupe avait poursuivi son chemin. Joseph n'était en somme qu'un élément isolé pour lequel la marche de l'armée ne devait pas ralentir. La vie d'un soldat pesait peu dans la balance, surtout s'il avait subi de sérieuses blessures.

Or, grièvement blessé à la tête, ce pauvre soldat gisait inconscient. Des paysans russes le découvrirent et le transportèrent dans leur habitation pour le soigner. C'était un genre de hutte circulaire où cohabitaient les hommes et les animaux autour d'un feu central. Près de celui-ci se trouvaient les femmes, les enfants et les vieillards, ensuite les hommes et, en périphérie, les bêtes.

En raison de son état, Joseph fut placé près du feu jusqu'à sa guérison. Pauvres à l'extrême, ces gens le nourrirent et jamais ne le traitèrent en ennemi, bien qu'en principe il en fût un. Ils ne le gardaient pas non plus prisonnier, mais lui déconseillaient de tenter de retourner vers la femme et les enfants de la photo. Joseph était trop loin de chez lui pour espérer y parvenir sain et sauf.

On le surnomma « Germansky » et il devint l'un d'eux, vivant et priant comme eux devant une icône. Soucieux de se rendre utile, il accomplissait de multiples tâches, confiant qu'on l'avertirait lorsque tout danger serait écarté. Ce qui, un beau jour, se concrétisa. « Tu peux rentrer chez toi, Germansky. »

Des liens s'étaient tissés, et il y eut sans doute une certaine émotion à l'heure de se séparer. Joseph racontait souvent à sa famille comment il avait été sauvé par des paysans russes. Ainsi, la petite Johanna apprenait qu'il y avait, bien loin de son village, des gens d'une autre langue et d'une autre culture qui avaient fait en sorte que son papa lui revienne. Ces Russes, comme elle les appelait, avaient recueilli l'étranger blessé, passant outre à l'uniforme du soldat ennemi. Ils l'avaient soigné et protégé, partageant avec lui leurs maigres ressources. Et cela, sans désir de gloire ou de reconnaissance, mais par simple respect de la vie et de l'être humain. Elle apprenait là l'une des plus belles leçons de l'existence, que l'icône au mur ne cessait de rappeler. Dans mon esprit se profilait l'existence de bons et de méchants, les premiers, pacifistes, et les seconds, belliqueux.

Johanna affectionna toujours le peuple russe et, tout au long de sa vie, elle s'intéressa à sa culture. Un détail du séjour de son père l'avait frappée, à savoir que ses sauveurs ne chaussaient pas les fameuses « bottes cosaques », un temps en vogue, mais s'enveloppaient les pieds de couches successives de guenilles. Moi, petite Québécoise, je me demandais comment ils pouvaient ainsi faire face à l'hiver.

Que de fois, en pensée, j'ai habité cette hutte dans laquelle hommes et bêtes se groupaient autour du feu! Souvent aussi, je voyais tomber Joseph dans un précipice et j'entendais le bruit de son casque heurtant la surface rocheuse. De cette blessure, il conserva une plaque de sang coagulé sur le dessus du crâne, souvenir d'un geste d'humanité au sein des atrocités de la guerre.

LE BANC DU JARDIN

Enfant, on peine à imaginer que les grandes personnes ont déjà eu notre âge. Elles nous semblent avoir toujours été adultes ou vieilles. Peut-être parce que Johanna m'a beaucoup parlé de son enfance, me la figurer à l'âge tendre était facile. Elle avait des cheveux dorés réunis en tresses et des yeux pers, parfois bleus, parfois verts. Comme j'aurais aimé avoir des nattes blondes, moi qui les avais châtaines ! Dans les contes et les films, les fées et les héroïnes n'ont-elles pas généralement les cheveux de cette couleur ? Le comble, c'est que Johanna aurait préféré être brunette, ce qui alors me paraissait une aberration, la blondeur constituant un critère de beauté sans doute inspiré des vedettes telle Marilyn Monrœ. Autres temps, autres mœurs.

Cette blondinette fut inscrite à l'école vers l'âge de six ans. Ses parents avaient le choix entre une éducation en allemand ou en français. Ils optèrent pour la langue maternelle. Cependant, son frère Otto, déjà brillant élève, manifesta le désir de fréquenter l'école française, ce qui fut accepté.

Qu'il y ait eu une institution d'enseignement français dans ce village ne piquait pas ma curiosité. Johanna avait étudié en allemand et c'est pourquoi certains prétendaient qu'elle parlait avec un accent. Si elle avait étudié en français, elle n'en aurait pas eu. Ce raisonnement simpliste me suffisait. Dernièrement, me rappelant son passeport rédigé dans les deux langues, je me suis penchée sur la question.

La raison relève du traité de Versailles, signé le 28 juin 1919 et entré en vigueur le 10 janvier 1920. Il y fut entendu que l'Allemagne devait payer pour les immenses pertes matérielles causées lors du conflit. Dans cette optique, en compensation de la mise hors service de ses houillères, la France avait obtenu la propriété des mines de charbon du Saarland, avec lequel une union douanière était établie. De plus, séparé de l'Allemagne, le Saarland fut confié à la Société des Nations (remplacée par l'ONU en 1946) pour une période de quinze ans. Ainsi, alors que ses enfants apprenaient leurs leçons, ses filles dans la langue de Gœthe et son fils dans celle de Molière, le père de Johanna reprit sa pioche de mineur pour le compte de la France.

Joseph se levait de tôt matin, déjeunait en vitesse et marchait pendant une heure pour se rendre à la mine. Sans doute en profitait-il pour respirer à pleins poumons et contempler le soleil levant à l'horizon. Au rythme de ses pas, souvenirs et pensées se bousculaient. Liées dans son cœur, la guerre et l'après-guerre mettaient en lumière le bien précieux de sa famille, richesse inestimable conservée du naufrage. Pour elle, il travaillait sous terre avec des chevaux aveugles. Au bout de huit heures, une cloche le délivrait de son éreintant boulot. Noir de charbon, il remontait à la surface et allait se laver à la douche commune avant de rentrer chez lui.

Quand leurs horaires coïncidaient, il cheminait avec Félix, le plus joyeux de ses frères. Ce dernier racontait des blagues, entre autres sur le curé qui postillonnait tellement dans ses sermons qu'il était sage de se prémunir d'un parapluie au premier rang devant la chaire. Joseph riait de bon cœur. C'était là pour lui une des petites douceurs de la vie, tout comme le banc qu'il avait construit sous un arbre. Banc de repos, de jeux et d'aveux, banc de lecture ou de rêverie, ce meuble extérieur contrastait par sa symbolique avec le mur de pierre que son rude beau-frère Herman avait élevé pour séparer leurs cours.

LE COUSIN MUSICIEN

Derrière ce mur montait la musique de Heinrich, le fils de Herman. Assise sur le banc du jardin, Johanna s'en délectait. Quand son cousin jouait ainsi, le temps s'arrêtait. Par la fenêtre ouverte, on tendait l'oreille et, dans la rue, le passant s'attardait. On lui reconnaissait beaucoup de talent, car il jouait du violon, de la mandoline et de l'harmonica sans avoir jamais suivi de formation.

Ah! Heinrich! Le menu garçon, agile et rieur. Le voleur de pommes et de noisettes. Le battu et le faible. Le joyeux et l'inconsolable. Heinrich, semblable à sa musique, tantôt charmante, tantôt riante, tantôt si triste. Parfois, tel un chat, il sautait le mur pour rejoindre Johanna. Il sortait l'harmonica de sa poche, et s'envolaient les notes. Un moment de grâce s'installait alors, libérant le rêve.

— Quand je serai grand, je serai violoniste.

— Dans une grande salle à balcons?

— Oui, et je jouerai de la musique toute ma vie.

— Est-ce que je pourrai venir te voir?

— Oh! oui! Gratuitement.

— Tu ne seras pas comme Peter, le fils de tante Anna ?

— Non, je n'aurai pas la tête enflée. Tout le monde pourra venir me voir.

— Lui, il est chef d'orchestre.

— Je sais, mais il ne veut même pas que sa mère lui envoie des lettres en ville parce qu'elle n'a pas une belle écriture.

Résignée, la bonne tante Anna s'était pliée à l'exigence de son fils afin de ne pas trahir ainsi ses origines paysannes. Le snobisme de leur célèbre cousin était cependant vite effacé lors de ses rares passages à Bexbach.

— Il s'est déjà arrêté nous visiter, rappelait souvent Johanna, au grand plaisir de Heinrich, qui savourait ce souvenir par procuration. On l'avait emmené voir les chevreuils qui viennent derrière les collines. Il les avait regardés avec des lunettes d'opéra, poursuivait-elle.

— Des vraies lunettes d'opéra ?

— Oui, des vraies.

— Comment étaient ses mains ?

— Propres.

— Délicates ?

— Oui.

— Douces ?

— J'imagine.

— Pour jouer du violon, il faut avoir les mains douces.

Le rêve s'emballait. Si leur cousin Peter était parvenu à diriger l'orchestre d'Essen, pourquoi Heinrich ne pourrait-il pas un jour y faire courir ses doigts fins sur les cordes d'un violon ?

Surgissait son père Herman, qui l'empoignait par le cou. «Marche à la maison, vaurien. Ça n'a jamais rien su faire d'autre que de la musique!»

En larmoyant, Heinrich s'en retournait à coups de botte aux fesses. Navrée, Johanna demeurait sur le banc avec le rêve brisé.

LES BOHÉMIENS

Chaque année, par un beau matin, un ours apparaissait soudain sur la rue principale de Bexbach. Au son d'un tambourin, un homme l'accompagnait, précédant les bohémiens. Teint basané, dents d'une blancheur éclatante, longs cheveux noirs maintenus dans un filet multicolore, ces nomades au pas souple déambulaient de porte en porte dans l'espoir de vendre des tapis. « Oh ! Belle dame, voyez ce beau tapis ! Pas cher, pas cher du tout pour vos beaux pieds. » L'achat se concluait par un sourire, le refus par un « *Caramba !* » bien senti.

Leur succédaient les femmes portant un enfant nu sur le dos. « Pauvre petit ! Ce n'est pas pour moi, c'est pour lui », quémandaient-elles. Habituellement, les gens donnaient des vêtements trop petits, de la laine ou des bouts de tissu pouvant encore servir qu'ils avaient mis de côté en prévision de leur passage. Les Tziganes aux yeux enjôleurs recevaient aussi du pain, des gâteaux, des fruits et des légumes. Auréolées de mystère, les guérisseuses et les diseuses de bonne aventure étaient consultées en échange de quelque argent. Les unes connaissaient l'usage des plantes médicinales et des traitements empiriques, les autres lisaient le passé et prédisaient l'avenir soit dans les cartes, soit dans les lignes de la main. Une fois leur butin récolté, les bohémiennes s'en retournaient au campement établi près du ruisseau où allaient s'abreuver les chevreuils.

Heinrich les suivait en catimini et se cachait à distance, par peur de l'ours. Cette bête ne pourrait-elle pas faire faux bond à son dompteur et venir le dévorer ? S'il avait eu des lunettes d'opéra, il aurait pu observer à loisir le mode de vie de ce peuple ambulant, mais ce n'est pas ce qui l'attirait dans les parages. Non, il venait écouter les hommes qui s'exerçaient au violon. Les yeux fermés, au son de la musique, le garçon glissait l'archet sur les cordes et déplaçait les doigts sur la touche d'un violon invisible. Ainsi, il apprenait de ces virtuoses qui, le soir venu, se produisaient sur les places et dans les auberges.

Les gens s'attroupaient pour écouter ces pièces musicales dignes des salles de concert de la ville, inaccessibles à la plupart d'entre eux. Moment magique, la musique venait à eux. Avec leurs doigts fins qu'ils protégeaient du travail manuel, les bohémiens bâtissaient des cathédrales dans les cœurs afin de communier à ce qui transcende l'être humain. Quand mourait la dernière note, un silence religieux persistait quelques instants, puis on entendait tomber les sous dans le chapeau que l'artiste passait. Parfois, quelqu'un tirait ce dernier à l'écart et réclamait un morceau en particulier. C'était le cas de Joseph qui, invariablement, demandait l'*Ave Maria* de Schubert et qui, chaque fois, laissait échapper des larmes d'émotion.

Johanna connaissait très bien cette pièce, et tant d'autres, dont le *Concerto italien* de Verdi, qu'elle s'amusait à siffloter avec son père. Elle chantait également les partitions solo dans la chorale de son église. L'arrivée des bohémiens l'enchantait. Ils apportaient le rêve, l'évasion, l'exotisme. Venus de nulle part, ils allaient partout, à la fois étrangers et familiers, libres et si différents des hommes liés au sol et au gagne-pain.

Par un beau matin, ils étaient repartis. À leur campement ne restaient que les cendres de leur bivouac et les traces de leurs roulottes sur le chemin. Les chevreuils revenaient au ruisseau, le mineur retournait à la mine, le paysan à son champ, l'écolier à l'école. Cependant, le train-train quotidien se poursuivait avec une touche de merveilleux que les gitans avaient laissée dans leur sillage. On fredonnait des airs, on se relatait les prédictions de la cartomancienne ou on partageait des trucs de guérison. On fabulait à propos de l'ours, du lanceur de couteaux et de l'enfant acrobate. Les gamins faisaient des pirouettes pour épater les fillettes. Les uns montraient leur tapis neuf, les autres enjolivaient une anecdote. Sur son violon, Heinrich répétait de nouveaux airs. Rêveuse, Johanna l'écoutait, cheminant en pensée avec les bohémiens.

Le quotidien

Cela me gênait quand Johanna me demandait d'aller lui cueillir des feuilles de pissenlit pour en faire une salade. Notre pelouse était bien la seule du quartier à tolérer cette plante indésirable. J'avais la nette impression d'agir en traîtresse en récoltant avec précaution cette ennemie numéro un que les voisins éradiquaient dès qu'elle se pointait. En même temps, cela me permettait de mesurer la différence entre Johanna et les autres. Entre le Québec et l'Allemagne, où le pissenlit était cultivé dans les potagers. Je trouvais fort cocasse qu'on s'évertue, là-bas, à arracher les mauvaises herbes autour d'une plante considérée, ici, comme une mauvaise herbe !

Johanna me vantait les qualités épuratives de la salade de pissenlit. Rien n'était meilleur pour nettoyer le sang, affirmait-elle. Le fait d'en manger devenait pour moi une façon de me transporter dans son enfance. De goûter ce qu'elle y goûtait, assise avec les siens à la table de la maison familiale qu'elle m'avait décrite.

C'était une maison remplie d'armoires de toutes sortes. Des grosses, des moyennes, des petites.

Armoires à vêtements, à literie, à vaisselle, à souliers et à chapeaux ; armoires à livres, à souvenirs et à bibelots. Une ou deux par pièce, la plupart avec la clé toujours dans la serrure. Celle dans la chambre des filles occupait un coin près d'un bureau sur lequel trônaient la cruche et le bol d'eau des ablutions. Assez imposante, elle contenait les vêtements d'Hélène, l'aînée très sage, d'Agnès, la vive et meneuse, de Johanna, la forte et rieuse, et de la jeune Gertrude. D'un bon caractère, cette dernière était exemptée de maints travaux en raison d'une santé fragile.

Les quatre sœurs dormaient dans deux lits doubles qu'elles s'empressaient d'accoler lorsque leurs cousines venaient leur rendre visite. Tassées les unes contre les autres, elles rigolaient longtemps avant de trouver le sommeil. Le portrait encadré d'un ange gardien veillait au-dessus de la tête de chaque lit tandis qu'une peau de chèvre blanche s'étendait au pied et qu'un petit bénitier était fixé au mur près de chacun.

La chambre des parents se trouvait séparée de celle des filles par un simple rideau. On y comptait deux armoires, deux bureaux, une machine à coudre et un lit d'enfant que Werner, le dernier-né, occupa jusqu'à l'âge de cinq ans environ, avant d'aller rejoindre son grand frère Otto, pour qui on avait aménagé une pièce dans une partie du grenier. Oreillers, édredons et matelas étaient tous rembourrés de duvet d'oie habituellement prélevé au temps de la mue.

La tâche de plumer ces oiseaux revenait à la mère de Johanna. Assise sur le banc du jardin, d'une main ferme, elle immobilisait la volaille sur ses genoux et, de l'autre, lui arrachait précautionneusement les petites plumes ventrales, qu'elle déposait dans une poche tenue ouverte par l'une ou l'autre de ses filles. Une fois libérée, l'oie piteuse s'éloignait en vitesse. Johanna compatissait à leur sort sans toutefois s'en alarmer. Ces plumes repoussaient toujours, et le moelleux confort qu'elles offraient valait bien le sacrifice de ses amies aviaires.

Ces récits trouvaient chez moi un écho. Bien que différents, nos modes de vie se ressemblaient à certains égards. L'universalité de la pensée et du comportement des enfants nous unissait, ainsi que de nombreux dénominateurs communs tels que l'école et les activités à la sortie de celle-ci, telles les amitiés à travers les jeux, tels les rêves et les folies.

Alors qu'après l'école je regardais *Bobino* et *La Boîte à Surprise* à la télévision, Johanna s'occupait d'abord de ses oies, puis, avec sa sœur Agnès, elle allait faire paître les chèvres hors du village. Chacune des fillettes était responsable d'un animal, qui suivait en laisse. Elles se rendaient souvent jusqu'aux collines affaissées derrière le champ de pommes de terre. L'herbe y était tendre et abondante, ce qui d'ailleurs attirait la marmaille de Bexbach attitrée à la même tâche.

Premier arrivé, premier servi. On enfonçait dans le sol un piquet auquel la chèvre était attachée. Celle-ci se mettait en devoir de brouter dans le rayon de la corde pendant que son jeune maître ou sa jeune maîtresse en profitait pour s'amuser.

On bavardait, on riait, on jouait et on chantait. De temps en temps, au risque d'irriter l'autorité paternelle, le cousin Heinrich s'amenait avec son harmonica et offrait un concert, l'âme envolée vers une salle de spectacle. Les enfants se faisaient aussi de petits feux sur lesquels ils cuisaient des pommes de terre grelots. Bien sûr, ce n'était pas permis, mais d'autant plus excitant! Tous complices, l'un se chargeait d'apporter une allumette, l'autre du papier, quelques autres de ramasser du bois sec ou de déterrer les précieux tubercules. Ah! Comme il était bon, ce fruit défendu, dégusté ensemble en cachette pendant que les chèvres s'empiffraient!

J'ai longtemps pensé que ce mode de pâturage était le propre du village de Bexbach et des souvenirs de Johanna. Au Québec, les animaux paissent à longueur de jour dans de vastes espaces clôturés. Cette histoire de corde et de piquet me laissait perplexe. À ma grande surprise, en furetant dans le dictionnaire, j'ai réalisé que cette coutume devait être fort répandue puisque le proverbe suivant en fait mention: «Où la chèvre est attachée, il faut qu'elle broute», ce qui signifie que quand on est fixé dans un lieu, dans un poste, il faut s'en accommoder.

Quand l'herbe se raréfiait sur la colline, on se rabattait le long des chemins ou de la voie ferrée et on y revendiquait la meilleure parcelle pour sa chèvre. La vive Agnès excellait dans la défense du territoire qu'elle s'octroyait. Un intrus y posait-il le pied? Elle le dissuadait par des semonces et des menaces. Plusieurs importuns se montraient-ils? Qu'à cela ne tienne, elle s'emparait de la corde de la chèvre et fonçait en lionne. Ils s'enfuyaient à tout coup. De mémoire de Johanna, personne n'avait jamais osé affronter la terrible Agnès. Même pas des garçons plus vieux qu'elle.

Johanna s'estimait bien chanceuse d'avoir une telle sœur. De trois ans son aînée, Agnès la protégeait et l'initiait aux tâches domestiques qui leur incombaient. Presque toujours ensemble au travail, elles se partageaient les peines, les secrets, les joies et les amitiés.

L'AMITIÉ

Petite, grêle et pas tellement jolie, Émilie était l'amie de Johanna. Elle avait pour maman la commère du village, une grosse femme malpropre qui, à sa fenêtre, passait son temps à épier et à déblatérer sur tout le monde. Rien ne lui échappait de son poste d'observation, également tour de communication. À force d'être accoudée au dormant, elle usait ses robes au niveau de sa généreuse poitrine, avec pour conséquence qu'elles étaient toutes rapiécées à cet endroit.

Avec une telle mère, Émilie n'était guère avantagée. Cependant, elle était gentille et possédait une jolie petite armoire à vaisselle dans laquelle Johanna et Agnès allaient ranger leurs morceaux. C'étaient trois amies. Ou plutôt, deux véritables, car Agnès s'y était affiliée à la vue de l'armoire. Ah! Les beaux jours de vacances à jouer à la maîtresse de maison dans la cour d'Émilie! On y servait thé et gâteaux imaginaires à de fictifs invités distingués. Jamais de grosses discussions, jamais de cris, jamais de chicanes; l'armoire réglait tout. Agnès tentait-elle de dévoiler son tempérament de chef que, sans un mot, Émilie en retirait les pièces.

Devant cet argument de taille, l'insubordonnée se rangeait et le jeu reprenait.

Johanna et Émilie se tenaient toujours ensemble à l'école. Elles partageaient la même peur de la religieuse qui était leur enseignante. En criant comme une damnée, celle-ci ne cessait de leur rappeler les supplices de l'Enfer. Sévère et intransigeante, elle avait une fois brûlé les mains d'une élève en les pressant sur le calorifère bouillant. « Aimez-vous les uns les autres », prêchait-elle, tout comme le curé, qui la surpassait en rudesse.

Lors des visites mensuelles de ce dernier, les élèves tremblaient à l'idée d'ignorer la réponse aux questions du catéchisme qu'il posait à chacun, à tour de rôle. Il fallait tout débiter sans hésiter une seule seconde, sinon il devenait rouge comme un tison et hurlait à réveiller les morts. Dans sa sainte colère, il avait projeté la bégayeuse de la classe contre l'immense tableau noir, qui s'était décroché et avait assommé la malheureuse enfant. Johanna prétendait que cette élève avait failli mourir, mais que ses parents n'avaient pas osé porter plainte. À l'époque, là-bas comme ici d'ailleurs, les punitions corporelles étaient de mise. En fait, le contenu du *Petit catéchisme* qu'étudiait Johanna ressemblait à celui du mien, tous deux conformes aux règles de l'enseignement religieux dispensé en milieu scolaire.

En première année, notre institutrice nous enjoignait de laisser vacante une partie de notre siège à l'usage de notre ange gardien. Quelle chance nous avions d'avoir cet esprit protecteur qui nous inspirait de bonnes actions ! Ça valait bien la peine de lui sacrifier une moitié de chaise, quitte à se dévier la colonne vertébrale. À chaque enfant, Dieu avait alloué un ange personnel. En revanche, pour n'être pas en reste, le Diable avait destiné un esprit maléfique à chaque être humain afin de l'induire en tentation. Notre jeune conscience devenait alors un champ de bataille entre l'esprit du bien et celui du mal.

Doté d'ailes et vêtu d'une tunique blanche, l'ange gardien portait l'auréole tandis que, tout noir avec des yeux rouges, deux cornes pointues et une queue d'animal, l'esprit du Diable brandissait un trident incandescent. Étions-nous tentés de voler un bonbon dans l'armoire? Les deux esprits s'activaient aussitôt. «Ta mère ne s'en apercevra pas», chuchotait le Diable. «Ce n'est pas bien de voler», rappelait l'ange gardien. «Ce n'est pas du vol, car ta mère a acheté ces bonbons pour toi», argumentait le premier. «Pour toi, mais aussi pour ton frère et ta sœur», insistait le second. Généralement, les propos du Diable se révélaient plus convaincants. Dans notre prière du soir, on s'excusait alors auprès de l'ange gardien, et dans celle du lendemain matin, on invoquait son aide pour la journée.

L'importance accordée à l'ange gardien dans mon enfance se retrouvait de toute évidence dans celle de Johanna puisqu'un portrait de cet être spirituel veillait au-dessus de chacun des lits des filles. Elle m'a d'ailleurs raconté une anecdote savoureuse à ce sujet.

Assister à la messe était obligatoire le dimanche ainsi que lors de certaines fêtes religieuses. On ne pouvait s'y dérober sans commettre de péché, sauf si on était malade ou en cas de force majeure. Or, cette obligation de bon catholique n'est guère attirante à l'âge tendre.

Un de ces dimanches matin qu'Agnès s'attardait sous l'édredon, l'esprit cornu l'incita à y demeurer. Elle était si bien dans son lit, pourquoi en sortir ? L'ange gardien fit aussitôt valoir qu'elle doublait son péché en y ajoutant celui de la paresse. « Ce n'est pas de la paresse, c'est du repos », susurra le Malin. Un repos bien mérité, jugea Agnès. Elle se mit donc à geindre, feignant un gros mal de ventre. Excellente comédienne, elle convainquit sa mère. « Te voilà rendue à trois péchés avec ce mensonge », calcula l'ange. « Ce n'est pas un mensonge, c'est de la ruse, une forme d'intelligence », plaida l'adversaire. Fière de son coup, Agnès continua donc d'émettre ses plaintes. Il lui tardait de voir partir pour l'église le reste de la famille. Comme elle serait bientôt à son aise, toute seule à la maison à faire la grasse matinée !

Soudain, sans raison apparente, le cadre de l'ange gardien se décrocha et lui tomba dessus. Elle y vit un message direct et on ne peut plus clair de Dieu lui-même. Elle bondit hors du lit, s'habilla en vitesse et courut à la cuisine avouer sa faute à sa mère, qui terminait de s'endimancher.

Avec quelle ferveur et quel repentir Agnès pria-t-elle au cours de cette messe-là, obsédée par une question-réponse du *Petit catéchisme* : « Dieu connaît-Il tout ? — Oui, Dieu connaît tout : nos actions, nos paroles et même nos pensées les plus secrètes. »

Pendant un certain temps, elle prit pour modèle l'oncle Jacob, ancien moine d'une grande dévotion, puis, peu à peu, sa conscience retrouva son élasticité.

L'ONCLE JACOB

Johanna évitait son oncle Jacob. Lui, de son côté, la recherchait partout. La tête fêlée par trop d'années à prier pendant la nuit sur les dalles froides d'un monastère, il la considérait comme l'apparition de la Sainte Vierge. Johanna réussissait habituellement à ne pas croiser sa route, mais si par malheur elle le rencontrait, il se précipitait à ses genoux, lui saisissait les mains et demeurait de longues minutes en extase. Elle ne savait que faire ni que dire à cet halluciné qui l'avait associée à la Madone en raison de sa blonde chevelure et de ses yeux pâles.

Selon la mère d'Émilie, cet oncle ne désirait pas vraiment devenir moine, mais s'y était résigné, l'aîné d'une famille catholique se consacrant habituellement au service de Dieu. Il était entré dans l'ordre des Franciscains, mais j'ignore pendant combien de temps il y demeura. Il vouait un respect démesuré et irrationnel à toute forme de vie. Sa mère devait s'arranger pour faire bouillir l'eau en cachette, sinon il s'empressait de retirer la marmite du feu pour éviter la mort de milliers d'organismes microscopiques. «Il ne faut pas tuer», condamnait il. Il répétait la même chose à son père qui installait des pièges à souris au grenier. Ces innocentes créatures du bon Dieu ne méritaient pas un sort si cruel sous prétexte qu'elles venaient simplement manger du grain.

« C'est mal de tuer », sermonnait-il aussi en courant d'une ferme à l'autre. Les porcs lui lançaient des regards désespérés, eux qui sont nés le couteau sur la gorge ; la tête inclinée d'un côté, les oies le lorgnaient d'un air dubitatif tandis que, dans un naïf espoir, les lapins cessaient de trembler. Il prêchait hélas en vain, car porcs, oies et lapins finissaient toujours par se retrouver dans les assiettes.

Dévasté par tant de cruauté, Jacob grignotait une croûte quelque part. Il ne comprenait pas le monde dans lequel il se trouvait parachuté avec un vieil habit et une tête malade. Son cœur débordait d'amour pour tous les êtres de la Création, des plus minimes aux plus grands, des plus gentils aux plus bêtes. Il aimait sans restriction et pardonnait aux enfants qui lui lançaient des pierres, aux filles qui se moquaient de lui et même aux chiens qui lui mordaient les mollets. Il aimait sans condition et, par-dessus tout, il adorait Johanna, sa Madone aux tresses blondes.

LE THÉÂTRE

É lève doué et studieux de l'école française,
Otto y remporta une année le prix du meilleur comédien. Il fallait le voir sur scène. Il avait
tout de l'acteur en herbe : la diction, la mémoire,
le geste, l'âme et la voix. Certains alléguaient qu'il
pourrait aisément faire carrière dans ce domaine et
que ce serait bien dommage de gaspiller son talent
en embrassant la prêtrise comme il le souhaitait.

Un peu de sa gloire rejaillissait sur sa famille, qui
en était extrêmement fière. Aussi ne manquait-on
jamais de placer dans une conversation qu'Otto
était soit leur fils, soit leur frère ou leur cousin.

Cette récompense fit naître chez Hélène l'idée
de monter une pièce de théâtre. Après tout, si son
cadet avait tenu avec brio un rôle, tout la prédis-
posait à réussir en tant que metteure en scène. Elle
en fit part à Agnès et à Johanna, qui répandirent la
nouvelle à l'école. Émilie la rapporta à sa mère, et
bientôt tout le village en parla. Quelle serait cette
pièce ? Otto ferait-il partie de la distribution ?

Ce dernier refusa de tenir un rôle dans *Blanche-
Neige et les sept nains* des frères Grimm. Qu'importe ! Hélène alla de l'avant. Elle s'attribua le

personnage de l'héroïne, dénicha un prince charmant, fit d'Agnès la méchante sorcière et demanda à Johanna et à Émilie de jouer deux des nains.

Johanna devait interpréter le nain muet car, contrairement à Otto, elle avait fait piètre figure lors d'une représentation à son école, demeurant bouche bée devant l'auditoire, incapable de se remémorer son texte. Je la comprenais fort bien, moi qui étais de nature timide et qui n'ouvrais la bouche en classe qu'en cas de nécessité absolue.

Comme elles l'ont répétée, cette pièce ! Que de fois le même geste, la même phrase ! Que de fois à rentrer et sortir par une porte invisible ! À épousseter des meubles inexistants ! Et à danser sur des musiques inaudibles en espérant que Heinrich puisse venir jouer du violon lors du spectacle ! Assez de fois pour que la flamme sacrée d'Agnès, de Johanna et d'Émilie se mette à vaciller. Hélène les encouragea à viser l'excellence, et sur le métier elle remit vingt fois l'ouvrage. Quant au prince charmant, plus ou moins considéré comme un figurant, il participait aux répétitions quand bon lui semblait.

La date de la représentation fut enfin fixée et l'on se mit à vendre des billets. Il ne restait plus qu'à construire des décors et à élever une estrade. Un détail aux yeux d'Hélène. Elle envoya ses comédiennes quêter des matériaux. Les commerçants fournirent caisses, caissons et coffres en mauvais état, tandis que les particuliers laissèrent aller de vieilles planches et des bouts de bois de charpente. Untel offrait-il une poignée de clous usagés qu'aussitôt la mère d'Émilie l'annonçait, aiguillonnant quelqu'un d'autre à imiter le généreux donateur sinon à le surpasser.

Une fois le tout réuni, on emprunta des outils et l'on se mit à la tâche. Le prince charmant retroussa ses manches et se consacra au marteau et à la scie avec un enthousiasme nouveau. Hélène voulait une estrade assez élevée afin que le public puisse bien suivre le jeu des acteurs. On empila donc caisses, caissons et coffres sur lesquels on cloua les planches. Un vrai trésor d'ingéniosité, quoique assez branlant. On installa ensuite les décors dessus. Porte, meubles, rideaux, tout fut mis en place la veille de la première, ce qui les priva d'une dernière répétition.

Au matin du grand jour, une fébrilité palpable régnait dans la petite troupe. Le sommeil de chacun avait été parsemé de rêves de triomphe ou de cauchemars d'échec. L'arrivée des spectateurs fit éclore des papillons dans leur ventre et le trac leur mouilla les mains. Heureusement, Hélène leur redonna confiance et s'employa à les calmer. Tout irait bien, assurait-elle.

On frappa les trois coups d'usage et la séance commença. Effectivement, tout se déroulait comme prévu sur l'estrade chancelante. Blanche-Neige évoluait avec grâce, le nain muet se taisait, le prince charmant charmait et l'horrible sorcière terrifiait.

Vint le tour d'Émilie d'entrer en scène. Voulant trop bien faire, elle toqua trop fort à la porte, qui s'écroula sur un meuble. Celui-ci tomba à son tour sur le mur, ce qui entraîna la chute de l'estrade avec ses comédiens. Émilie éclata en sanglots, le muet demeura aphone, la sorcière s'emporta tandis qu'à l'instar du public Blanche-Neige s'esclaffa. Transformé en burlesque, le conte mélodramatique reçut finalement un tonnerre d'applaudissements.

Dans le village, on raconta longtemps cette représentation à nulle autre pareille, et plus longtemps encore, la mère d'Émilie assura que sa fille s'y était distinguée avec autant de brio qu'Otto.

CE MATIN-LÀ

Grand-père Balthazar s'habillait pour assister à la messe quotidienne. De la fenêtre, le vieillard contemplait son grand jardin et, au bout de celui-ci, les arbres fruitiers qu'il avait jadis transplantés entre sa cour et celle de son fils Joseph. Des pommiers, des poiriers et des pruniers qu'il avait soigneusement taillés et sur certains desquels il avait pratiqué des greffes donnant une excellente variété de pomme-poire.

Quelques plantes avaient commencé à jaunir et à sécher dans le généreux potager de l'été, et le vieux maraîcher souriait au plaisir qu'il aurait à les arracher après sa sieste de l'après-midi. Il avait toujours accordé un soin amoureux à la parcelle de terre héritée de l'ancêtre. Elle était toute sa vie et toute celle de sa descendance. Saison après saison, elle avait apporté fruits et légumes sur la table, procurant aussi le fourrage nécessaire aux animaux. D'une superficie appréciable, elle avait également permis à ses fils de s'y établir et d'y élever leurs enfants. Cette ribambelle de petits-fils et de petites-filles égayait sa vieillesse, et rien ne lui plaisait davantage que de bécoter leurs joues barbouillées des confitures de fruits de son verger.

Il savait que, bien entretenue, sa terre serait encore productive quand il ne serait plus de ce monde. Depuis des millénaires, la terre avait subvenu aux besoins des hommes. De passage ici-bas, ces derniers se devaient de la nourrir, de la respecter et de la protéger. Tout au long de sa vie, Balthazar s'était soumis aux exigences du monde végétal, acquérant le savoir et l'expérience par les humbles gestes du jardinier. S'il laissait maintenant à ses fils le gros de la besogne – labourer, bêcher et épandre le fumier –, il se réservait les tâches plus légères comme semer, biner et sarcler. Avec sérénité, il se promenait sur le sol meuble des allées, arrachant, ici, la mauvaise herbe à l'assaut d'une planche, assujettissant, là, un tuteur ou rechaussant le pissenlit comme on le fait de l'endive pour en amoindrir l'amertume. Il bichonnait particulièrement ses choux de Bruxelles, réputés les meilleurs de la région. Cela le rendait fier et lui procurait la satisfaction d'être encore utile.

Quand son corps usé manifestait courbatures et fatigue, il s'assoyait dans sa brouette pour se reposer. Les yeux levés vers le ciel, il tendait l'oreille aux bruits de la vie. Le cacardement des oies lui apprenait que Johanna s'en revenait de l'école et la mélodie d'un violon lui indiquait la présence de Heinrich derrière le mur de pierre. Il connaissait le grincement des roues de la charrette chargée de fûts de bière que tirait un lourd cheval vers l'auberge, les voix claires des enfants menant brouter leur chèvre par la corde, le pas de son fils Joseph chaussé de ses lourdes bottes de mineur. Le jappement d'un chien, le meuglement d'une vache, la cloche de l'angélus, le sifflet du train, tous ces sons composaient une ode à la paix qui lui faisait espérer qu'elle l'emporte à jamais sur le fracas de la guerre.

Ce matin-là, donc, Balthazar se préparait pour aller offrir sa journée au Créateur. Dans la cuisine, prêt depuis longtemps, son fils Jacob s'impatientait et lui demandait de se hâter. Le vieillard aurait bien voulu, mais ses doigts étaient gourds, ses membres raides, son souffle court. Il laça péniblement ses bottines, parvint à nouer la dernière boucle, se releva, fit un pas, deux pas et s'écroula. Le lendemain à la même heure, il expirait sans avoir repris conscience.

Sa dépouille fut exposée dans la maison et, pendant trois jours, on se relaya à la veiller à toute heure. Après quoi, il y eut la cérémonie religieuse et l'inhumation au cimetière. Aidée de ses filles et de ses brus, la veuve offrit le souper à ses enfants ainsi qu'aux parents venus de loin. Ils se réunirent tous autour du même malheur et de la même table, en souvenir du disparu. À cet instant, on s'aperçut que Jacob manquait.

Où était-il donc passé après la dernière pelletée de terre jetée sur le cercueil? On supposa que, très affecté par la mort de son père, l'ancien moine était retourné prier à l'église. Cependant, personne ne l'avait vu prendre cette direction. Alors que l'on commençait à s'inquiéter, il fit irruption. «Vous êtes tous là à manger tandis que lui n'a rien. Bande d'ingrats! Vous l'avez laissé là, tout seul!» sermonna-t-il.

Il prit de la nourriture et courut au cimetière afin de la partager avec le défunt. Pendant sept jours, Jacob se rendit ainsi manger sur la tombe de son père, puis il sembla s'habituer à son absence. De leur côté, ses proches s'habituèrent à ses disparitions, qui devinrent de plus en plus fréquentes.

NOËL

Ah! La première neige! Que d'excitation elle provoquait! Que de jeux elle offrait! Que de rêves elle déclenchait! Le blanc manteau nous projetait instantanément dans le décor des cartes de souhaits et de la crèche de l'Enfant Jésus au toit couvert de ouate, nous assurant du même coup que les rennes pourraient poser sans problème le traîneau du père Noël sur les toits des maisons. Si pour les adultes elle était synonyme de pelletage et de déneigement, elle représentait pour les enfants une incroyable source de plaisirs. Nous glissions sur les pentes, grosses ou petites, en luge ou en toboggan, parfois sur un simple bout de carton. Nous élevions des bonshommes de neige, à deux ou trois boules, une carotte en guise de nez, des cailloux pour les yeux. Nous construisions des igloos ainsi que des forts où nous disputions des combats de balles de neige. À la tombée du jour, les joues rougies, nous rentrions à la maison, tout émoustillés, des odeurs d'hiver à nos mitaines de laine.

À Bexbach, l'euphorie de la neige était de courte durée. Lorsque, au réveil, une mince couche en recouvrait le sol, les enfants s'empressaient d'en profiter car, habituellement, vers midi il n'en restait plus. Là-bas, c'était l'Avent, et non la neige, qui constituait le signe annonciateur de Noël. D'environ un mois, cette période comprenait les quatre dimanches précédant cette grande fête.

Dans la maison de Johanna, au premier dimanche, les portes à deux battants menant au salon étaient verrouillées, et la clé, bien cachée. À partir de ce moment, seuls les parents pouvaient y pénétrer, et ce, jusqu'au 25 décembre. Dès lors, le mystère s'installait dans cette pièce condamnée. À l'occasion, le père et la mère s'échangeaient des airs entendus, des silences complices, des paroles équivoques. De leur côté, les enfants tentaient d'interpréter les moindres bruits derrière les portes closes. Chuchotements, froissements de tissu, pas et déplacements de choses étaient analysés. On se renseignait l'un l'autre, on élaborait des hypothèses, on soulevait des questions.

Quel objet avait-on déplacé dans le salon ? Était-ce petit ou gros ? Mou ou solide ? Lourd ou léger ? Qu'avait cousu leur mère jusque tard dans la nuit ? Une robe ? Un pantalon ? Pour qui ? Aurait-on un chapeau, des souliers, peut-être un livre ? Un jouet ? Un cheval de bois ?

Agnès désirait ardemment une poupée qu'elle avait aperçue dans la vitrine d'une boutique de la rue principale. Elle l'avait baptisée Lieselote et elle s'arrêtait la contempler à la moindre occasion. À l'heure des repas, elle ne cessait de la décrire en long et en large avec sa tête de porcelaine, ses cheveux soyeux et sa jolie robe. Il n'y avait pas de plus belle poupée au monde, affirmait-elle, appuyée en ce sens par Johanna. Dans sa prière du soir, Agnès en faisait la demande tout en promettant d'être plus obéissante et de ne plus se plaindre de l'absence de dessert au menu, l'Avent étant un temps de privations au cours duquel on devait chercher à s'améliorer.

Un triste jour, Agnès arriva en pleurs à la maison. Lieselote avait disparu de la vitrine du magasin. Quelqu'un l'avait achetée. Quel malheur ! Elle ne connaîtrait jamais le bonheur de lui peigner les cheveux et de la tenir dans ses bras. Sa mère lui fit remarquer qu'elle n'avait peut-être pas été assez sage, mais que tout espoir n'était pas perdu. La fillette redoubla donc d'efforts pour ne plus rouspéter et s'imposer des sacrifices.

Plus on approchait de Noël, plus le désir des gâteries à venir s'intensifiait. Distraits à l'école, les enfants tardaient à s'endormir à la maison, chuchotant à propos de bonbons et d'étrennes sous l'édredon. Dans ses prières, Johanna avait fait sienne la demande d'Agnès d'obtenir la merveilleuse poupée dont elle deviendrait, en quelque sorte, la tante. En tant qu'aînée, Hélène devait souvent les avertir de se taire et de dormir. Un silence suivait pendant quelques minutes, puis une voix à peine audible murmurait quelque chose comme : « La maman d'Émilie a vu papa entrer dans la pâtisserie. » Et voilà que ça repartait jusqu'à ce que l'ordre émane de leur mère dans la cuisine.

Passé le quatrième dimanche de l'Avent, on commençait à compter les jours qui nous séparaient de Noël. Un vendeur de sapins s'installait sur la place publique, et des arômes sucrés chatouillaient les narines au réveil, trahissant la cuisson de brioches et de gâteaux au cours de la nuit.

Les parents multipliaient les manigances pour terminer les préparatifs en cachette, alors qu'en classe la religieuse racontait cette nuit miraculeuse où une étoile avait guidé des bergers et des Rois mages vers un enfant nouvellement né dans une étable. Captivés par ce récit, les élèves s'envolaient en pensée auprès du divin poupon, couché sur la paille, entre un bœuf et un âne. Leur âme sensible vibrait au mystère, et la fête tant espérée prenait un sens profond. Au-delà des joies tangibles, ils toucheraient en ce jour à quelque chose d'ineffable et d'ineffaçable transmis par la tradition.

Dans le vert sapin, ils verraient l'éternelle jeunesse de Dieu. Dans les fruits et les confiseries qu'on y accrochait, Son désir de nourrir les hommes. Et, dans les bougies allumées, l'espoir de paix. Chaque fois qu'ils entendraient chanter *Nuit silencieuse* ou *Mon beau sapin*, ils en seraient émus, même rendus vieux, comme j'ai pu le constater chez Johanna.

La veille, les heures s'égrenaient lentement. On trompait le temps comme on pouvait. Enfin, le moment tant attendu arrivait. Aussi fébriles que leurs enfants, les parents de Johanna ouvraient toutes grandes les portes du salon.

« Oh ! » poussait-on dans un souffle d'admiration à la vue de la pièce éclairée par les bougies d'un sapin décoré de rubans et de fruits. Féerie. On y pénétrait sur la pointe des pieds, comme dans un rêve merveilleux, les yeux agrandis, les mains moites, le cœur battant la chamade. Noix, bonbons, chocolats, gâteaux, confiseries, pâte d'amande couvraient une table. Et, pour chaque enfant, au pied de l'arbre, un cadeau, vêtement ou jouet, dont, une année, une certaine Lieselote pour Agnès.

PAR UN TEMPS SI FROID

« Jacob! Où est Jacob? Chez Joseph, peut-être. — Non, pas chez Joseph. — Pas là? Allons à l'église. — Pas à l'église non plus. Jacob!»

Frères et cousins le cherchaient partout tandis que, affolée, sa belle-mère errait dans la maison. S'arrêtait-elle à la fenêtre qu'elle s'en éloignait aussitôt, ne le voyant pas revenir. D'habitude, il ne s'absentait guère longtemps lorsqu'il faisait froid. La vieille ouvrait une armoire, la refermait, prenait son tricot sur la table, s'assoyait sur le bout des fesses, échappait des mailles, se relevait, tournait en rond à petits pas rapides, rentrait dans la chambre de son fils par alliance, en ressortait et pleurnichait devant un piège à souris qu'elle avait installé près du bahut à son insu.

Dehors, la terre était dure comme une pierre. Tous les étangs étaient gelés, et la fumée montait, droite et blanche, aux cheminées.

«Jacob!» appelait-on par les rues et par les champs. On alla au cimetière, on visita les fermes environnantes. Quelques-uns poussèrent jusque sur la grande route pavée de Homburg. Ils revinrent, bredouilles et frigorifiés. Personne n'avait vu passer Jacob.

Parsemé d'étoiles, le manteau de la nuit s'étendait sur Bexbach. Et les grains de chapelet glissaient sur les doigts noueux de la belle-mère, aux lèvres tremblantes comme des lueurs de chandelle.

Chez Johanna, la famille entière implorait la protection divine sur Jacob. En son for intérieur, la fillette se reprochait d'avoir constamment fui cet oncle un peu fou qui la prenait pour la Madone. Le lendemain, avec ses sœurs, elle enfila bas et jupon de laine pour tenter de le retrouver.

Elles l'aperçurent sous un pont. Incorrigible oncle Jacob, endormi pendant que tout le monde vous cherche! Heureuses de leur découverte, elles s'approchèrent doucement afin de le surprendre dans son sommeil. Chut! Il ne faut pas le réveiller tout de suite. Quelle tête il fera lorsqu'il verra sa Madone et ses sœurs réunies autour de lui!

Ses mains maigres nouées à ses genoux, il dormait paisiblement, le dos appuyé contre la pente de la grève, un sourire bienheureux sur le visage. En fermant les yeux, sans doute avait-il pensé qu'avec sa pellicule de glace le ruisseau saurait protéger les poissons des hameçons des hommes. Le soleil faisait briller le givre sur ses vêtements, sur ses cheveux, ses cils, sa barbe et même sur ses ongles. On aurait dit un ange poudré d'étoiles. Les jeunes filles le touchèrent. Il demeura figé, telle une statue de marbre. Elles comprirent alors que l'oncle Jacob ne s'éveillerait jamais plus. Pour lui, les poissons n'avaient plus à craindre les hameçons. Jacob était désormais auprès de saint François d'Assise.

LES FRÈRES

Johanna se situait entre deux frères très distincts l'un de l'autre. Cinq ans la séparaient d'Otto, le plus vieux, et six ans de Werner, le dernier-né. L'écart d'âge entre les deux garçons expliquait en partie leurs différences, mais le fait que l'un soit né avant la guerre et l'autre après celle-ci y contribuait également, tout comme le caractère de chacun. Je me suis forgé une image d'eux à travers la perception qu'en avait Johanna.

Autant Otto était sérieux, studieux et calme, autant Werner était un infatigable boute-en-train. Né un jour de Mardi gras, ce mignon blondinet reflétait l'insouciante candeur de l'enfance. Enjoué, rigolo, spontané, il semait la gaieté autour de lui. Friand de gâteaux, ce petit frère rêvait d'avoir la bouche assez grande pour en manger deux à la fois.

Si ses propos faisaient habituellement rire, ils frisaient parfois la polissonnerie. Un dimanche, un soupirant vint visiter Hélène à la maison, démontrant ainsi le sérieux de ses intentions. Fils unique d'une famille aisée du village voisin, cet étudiant en génie civil avait eu le coup de foudre en dansant avec elle à la kermesse. Réservé, il parlait peu et observait la vie se dérouler entre frères et sœurs, simplement heureux d'être là, à voir Hélène évoluer au milieu des siens. Quand il fut invité à partager leur repas, Werner s'exclama : « Oh, non ! Vous n'allez pas inviter cette grande bouche-là à manger tous nos gâteaux ! » À l'instant où sa mère vint pour le gronder, le soupirant répliqua gentiment : « Si vous le permettez, monsieur. » Confus, le bambin balbutia son accord et, dès lors, considéra l'inconnu comme son futur beau-frère, ce qu'il devint effectivement.

Werner bénéficiait d'une certaine indulgence du monde adulte envers les enfants qui étaient nés après les affres de la guerre. On le laissait jouer, rire, chanter, danser, se déguiser et s'abreuver d'histoires fantastiques. Il n'eut jamais la bouche assez grande pour y enfourner deux morceaux de gâteau à la fois. Par contre, il put en manger à satiété, car il devint un pâtissier de renom dans son patelin.

Otto était le frère aîné qu'il ne fallait pas déranger quand il étudiait. Et il étudiait tout le temps. Élève modèle, toujours premier de sa classe, plein d'idées de paix et de partage, il se destinait à une vocation sacerdotale. Advenant l'impossibilité pour ses parents de défrayer le coût des études théologiques, ses brillants résultats scolaires lui permettraient de compter sur l'aide du clergé.

Dans la société d'alors, la soutane conférait beaucoup d'importance à celui qui la portait, et elle devenait une source de fierté pour la famille. À la manière dont Johanna parlait de ce frère intellectuel, je la sentais aussi admirative qu'intimidée à son endroit.

Otto était à part, le nez sans cesse plongé dans des livres écrits en français ou en allemand. De plus, il bénéficiait de sa propre chambrette au grenier. Alors qu'il avait seize ans, ses parents décidèrent d'y transférer le lit de Werner. Réfractaire à cette idée, Otto alléguait que son frérot était trop jeune pour monter l'escalier en pente raide qui menait à la mansarde. Sans compter que, là-haut, le gamin ne jouirait plus d'autant d'attention. « Il grimpe et court partout. Il est assez vieux », avait décrété leur mère. Otto s'y résigna et fit de la place pour le nouvel occupant.

Le soir du déménagement, tout excité, Werner tira tôt sa révérence pour aller se coucher. Comme un grand garçon, il monta seul au grenier. Otto resta à la table de la cuisine pour terminer ses travaux. Quand il gravit l'escalier à son tour, il trouva Werner endormi dans les marches.

— Qu'est-ce que tu fais là ? lui demanda-t-il en le secouant.

— Rien. Je… je t'attendais pour dormir.

— Tu aurais pu attendre dans ton lit.

— Je… j'ai peur des fantômes.

Assez vieux ? Le cœur du grand frère s'attendrit. Il prit le petit dans ses bras et alla le border dans leur chambre qui, dès lors, perdit son apparence de cellule de moine.

Cette proximité avec l'enfant folichon avait-elle joué un rôle dans le changement d'orientation d'Otto ? Possible, mais selon Johanna, l'événement déclencheur aurait été la lecture de l'histoire des papes de l'Église catholique romaine. Elle se souvenait de l'avoir vu fermer brusquement ce livre sur le banc du jardin et partir vers l'église. Quand il en revint, il annonça à ses parents ne plus vouloir devenir prêtre.

Cette grave décision ébranla Otto. Pendant quelques jours, il se confina dans sa chambre, ne descendant que pour les repas qu'il prenait en silence. Autour de la table, on essayait de parler de tout sauf de ça, et la conversation ne tenait qu'à des mots. Les mêmes interrogations trottaient dans l'esprit de ses proches. Allait-il abandonner ses études pour travailler à la mine de charbon ? À quoi pourrait lui servir désormais sa connaissance du latin ? Et celle du français ? Interprète, peut-être. L'ouvrage demeurait rare au pays, et l'économie, vacillante.

La maisonnée resta ainsi en suspens pendant qu'Otto tentait de réorienter son avenir. Il avait perdu un idéal et s'en cherchait un autre. Il trouva dans le droit celui de défendre la veuve et l'orphelin. Il deviendrait avocat.

La kermesse

En raison de son caractère rêveur, Johanna avait des résultats scolaires qui avoisinaient la moyenne. Son esprit vagabondait souvent hors des murs de l'école, notamment les jours précédant la kermesse.

À l'approche de ces annuelles festivités paroissiales, la religieuse enseignante s'attardait au péché de gourmandise. En vain : Johanna savourait déjà les gâteaux rangés dans l'armoire ainsi que les friandises dissimulées dans le bahut de la cuisine. Oh ! Comme elle devait combattre la tentation d'en subtiliser ! Et comme elle craignait que le petit Werner ne le fasse à sa place ! Elle espérait aussi pouvoir enfin goûter au vin qui rendait sa mère si euphorique lorsqu'elle le siphonnait dans des bouteilles de grès. Immanquablement, à la fin de cette opération, la pragmatique Margaretha iodlait joyeusement jusque tard dans la soirée, tenant tout le monde éveillé. Et puis, il y aurait du boudin, des saucisses et saucissons, des *rollmops*, des rôtis, du jambon, de la choucroute, des tartes, des biscuits et un tas d'autres bonnes choses à manger qui soumettaient Johanna aux tentations du palais.

Depuis au moins un mois, on se préparait pour la kermesse. Cela débutait par le grand ménage de la maison. Sous la direction de leur mère, toutes les filles y participaient, même la délicate Gertrude dans la mesure de ses moyens. Toutes les pièces y passaient, du plancher au plafond. On récurait, on lavait, on frottait, on astiquait. On cirait le bois des meubles et des planchers. On éventait les édredons et on nettoyait les peaux de chèvre. La perspective des réjouissances allégeait cette corvée, et on travaillait avec entrain afin que tout reluise pour la visite.

Il y aurait les cousines contre qui on se tasserait dans les lits pour dormir après avoir rigolé et épuisé tous les sujets de conversation. Il y aurait évidemment des oncles et des tantes, dont Anna, qui viendrait d'Essen et qui serait peut-être accompagnée de son fils Peter, le chef d'orchestre. Qui sait ? Heinrich pourrait avoir la chance de jouer du violon devant lui et se voir recruter comme musicien.

Selon son habitude, l'oncle Fridolin viendrait aussi de cette ville avec sa femme et sa fille unique. Fridolin. Ce prénom chantait dans la bouche de Johanna, qui prononçait à l'anglaise la dernière syllabe, ce qui donnait Fridoline. En dépit de sa maigreur due à une santé fragile, ce frère cadet de Joseph était un homme séduisant aux yeux d'un bleu outremer ombragés de longs cils. D'une voix très douce, il prenait plaisir à échanger avec ses neveux et nièces sur différents sujets. Sa venue revêtait un caractère bien spécial. C'était pour lui une sorte de pèlerinage. Une manière de témoigner son affection et sa reconnaissance à la mère de Johanna, qui lui avait sauvé la vie lors d'une kermesse.

Voici ce qu'elle m'en a raconté. Durant cette période, parents et amis se déplacent d'une agglomération à l'autre, entraînant dans leur sillage de jeunes célibataires en quête de partenaire de danse ou d'aventure galante. Fridolin avait remarqué qu'une fille du village se faisait harceler par un inconnu. Quand elle voulut s'en aller, l'importun la retint et se montra insistant. Devant l'évidence qu'elle n'avait nul désir de sa compagnie, Fridolin s'interposa et s'offrit pour aller la reconduire. Au moment où il s'en retournait avec elle, l'inconnu le poignarda au dos.

On l'emmena tout ensanglanté chez son frère Joseph, qui alla immédiatement quérir le médecin. Constatant que, à chaque respiration, en même temps que du sang un souffle s'échappait de la blessure, le praticien conclut qu'il n'y avait rien à faire. Le blessé ne survivrait pas jusqu'au lendemain. Femme d'action et de gros bon sens, Margaretha ne l'entendait pas ainsi. Il y avait un trou par où l'air sortait ; il s'agissait de le boucher. Elle y pressa un épais pansement, déchira un drap en larges bandelettes et, avec l'aide de Joseph, elle les serra fortement autour de la poitrine de son jeune beau-frère. Au matin, le médecin fut étonné de le trouver encore vivant.

La convalescence de Fridolin fut longue et il perdit l'usage d'un lobe de son poumon. Sa capacité physique ainsi diminuée l'empêchait d'effectuer des travaux manuels. Il apprit le doigté de dactylographe et obtint un poste dans un bureau. Cela lui permettait de veiller au bien-être de sa petite famille. Jamais il n'oublia Margaretha, qui lui avait permis d'échapper à la mort.

Le visage de la fête se dessinait un peu plus chaque jour. Alors que Johanna était assise à son pupitre, son esprit s'évadait vers la place publique. Y tournerait bientôt, au son d'une valse joyeuse, un carrousel aux couleurs vives avec des chevaux de bois, montés par des enfants s'imaginant être de preux chevaliers. Un petit singe costumé et poudré pirouetterait sous les applaudissements pour ensuite ramasser par terre la monnaie destinée à son maître. Tournoieraient les couples sur la piste de danse et s'uniraient les mains des villageois pour la grande farandole. Plaisirs de la table, rires, chansons, musique et amusements, le tourbillon de la fête emporterait tout le monde dans sa joie exubérante. Johanna se promettait de goûter à tout et de profiter de tout ce que ces réjouissances collectives pourraient lui apporter.

« La gourmandise vous conduira en enfer », menaçait la religieuse. Trop tard. La kermesse toquait déjà à la porte de sa classe.

Incursion
dans le passé

Un jour, je ne sais pour quelle raison, ni Johanna d'ailleurs, on dut déménager un très ancien cimetière. L'événement s'annonçait plutôt macabre. Exhumer des cadavres n'avait rien de réjouissant, tout le monde s'entendait là-dessus.

Dans les chaumières, on se demandait si certains ancêtres y avaient jadis été enterrés. Depuis belle lurette, plus personne n'allait y prier, encore moins y déposer des fleurs. Le cimetière était là depuis… depuis combien de temps au juste? On questionnait les vieux, pour qui il avait toujours été là. Toujours, c'est fort longtemps. Certains alléguaient que des fantômes y rôdaient, et plusieurs attestaient y avoir entendu monter de lugubres plaintes par les nuits obscures. Rien de vérifiable, bien sûr, mais tout pour nourrir les frayeurs enfantines et maintenir le petit Werner les yeux grands ouverts dans son lit jusqu'à l'arrivée de son frère.

Grâce aux registres des paroisses, on identifia la plupart des personnes inhumées. De très lointains et vagues souvenirs émergèrent dans les vieilles mémoires. D'une voix éraillée, on remontait l'arbre généalogique, raccordant des branches au tronc par le patronyme. « Ah, oui ! Cet arrière-arrière-arrière-grand-père, c'était donc lui… Et celle-là se trouve être une arrière-arrière-arrière-grande-tante maternelle… »

Recueillement et dignité marquèrent les étranges funérailles du transfert des dépouilles, qui furent ensevelies tout près dans le cimetière en usage, avec prières et bénédictions pour le repos de leur âme. Il ne restait plus qu'à rentrer chez soi.

Avant de refermer le sol, on remua encore un peu la terre, histoire de s'assurer qu'aucun autre reste humain ne séjournait dans la fosse. Une onde de choc secoua soudain le village. On était tombé sur de longues chevelures noires, datant d'une période très antérieure à celle des découvertes précédentes.

Cela piqua vivement la curiosité. De légers frissons d'horreur coururent à nouveau sur les échines, et les questions se multiplièrent sur les lèvres. En quête de réponses, quelques-uns se rendirent sur le lieu des fouilles. Les autorités religieuses s'empressèrent aussitôt de mettre les gens en garde contre ce genre d'attraction malsaine ; les villageois s'y rendirent donc en plus grand nombre.

D'abord entouré par un cordon, l'endroit fut ceinturé par une haute clôture de bois dès l'arrivée d'une équipe d'archéologues. Défense d'entrer. Enceinte surveillée pendant la nuit. Dans les esprits dansaient maintenant des squelettes aux longs cheveux de jais à propos desquels s'élaboraient des hypothèses. De leur côté, les archéologues exploraient méthodiquement, méticuleusement, patiemment. Peu d'information émanait de leurs démarches, sinon que ces vestiges provenaient d'un lointain passé. Couche par couche, ils approfondissaient leurs recherches sans en dévoiler le résultat.

Un suspense à la *Indiana Jones* planait sur le village ainsi que dans mon imaginaire. En pensée, je franchissais la clôture à l'insu du gardien de nuit pour me livrer à mes propres recherches. La question des longs cheveux noirs m'interpellait. Au Québec, ce type de cheveux pouvait se rapporter aux Amérindiens, mais il n'y avait jamais eu de telles peuplades au pays de Johanna. Quelle était l'origine de ces trépassés ? Pourquoi reposaient-ils là ?

Après des jours d'attente, la nouvelle d'une autre trouvaille se répandit comme une traînée de poudre, enflammant l'imagination. On avait mis au jour des bijoux, tous d'une même facture et du même âge. Un trésor. Johanna parlait de colliers et de bracelets qu'on avait expédiés dans un laboratoire aux fins d'analyse. Ces précieux objets allaient révéler l'identité de ceux qui les avaient fabriqués et portés.

Quand je l'appris, je n'en savais pas plus long, car j'ignorais tout des Huns. Johanna racontait que leur présence sur le territoire remontait à au moins quinze siècles. Depuis très, très, très longtemps, m'expliquait-elle. Pour une enfant, la perception du temps passé ne va guère au-delà de celui de nos grands-parents ou arrière-grands-parents. Par contre, ce qui était advenu des bijoux m'intéressait au plus haut point. Les avait-on remis au village ? Johanna les avait-elle vus ? Les avait-on vendus ? Si oui, qui avait été assez riche pour les acheter ?

La réponse me désenchanta. Ils avaient été acheminés vers les archives nationales afin d'y être conservés. Cela me paraissait une injustice. Personnellement, si je les avais trouvés, je les aurais jalousement gardés.

Ce récit m'inspira à entreprendre des fouilles dans notre modeste potager. À la fin de la saison d'été, animée par l'espoir de déterrer un trésor ou, à tout le moins, des artefacts amérindiens, je me mis à creuser et à retourner le sol. Une simple pointe de flèche m'aurait comblée de satisfaction, mais je n'ai jamais rien trouvé. Toutefois, c'était bon pour la terre du jardin.

Aujourd'hui, je réalise que Johanna avait enfoui en moi le désir d'aller à la rencontre du passé. Pour ce qui est des Huns, sous la conduite de leur roi Attila, ils franchirent le Rhin en 451 dans l'intention d'envahir Paris. Ils sont passés par Bexbach.

AU-DELÀ
DE LA FRONTIÈRE

Afin de gagner un peu d'argent, Otto allait travailler aux vendanges dans un vignoble français. Lors de son embauche, ses compagnons avaient trouvé sacrilège qu'il ait préféré boire de l'eau pour étancher sa soif au lieu du vin qui leur était distribué à cette fin. De son côté, le vigneron en avait pris ombrage. Quoi donc? Son vin n'était pas assez bon au goût de ce journalier? Quelle mauvaise réputation ce refus donnait à sa maison! Il convoqua donc le jeune Allemand pour tirer la situation au clair. Otto plaida que, contrairement à la bière, le vin était chez lui réservé aux grandes occasions. Il n'en avait donc pas l'habitude, et en consommer sapait son énergie sans vraiment le désaltérer. Il fut alors convenu qu'il ferait mine d'en boire à même une outre à vin en réalité remplie d'eau, ce qui convint à notre comédien amateur.

Le frère de Johanna prit l'habitude de traverser en France, que ce soit pour le travail ou pour ses études. Il s'y était fait des amis et fréquentait des intellectuels avec qui il partageait la vision d'un monde plus égalitaire. Il se rendait souvent à Strasbourg. Ancien camp légionnaire romain occupé par les Huns, cette cité était passée de l'Allemagne à la France plusieurs fois au cours de son histoire. Nommée Strateburgum, c'est-à-dire «ville des routes», en 496, elle était germanique en 925, elle devint ville libre en 1201, fut annexée par Louis XIV en 1681, puis reprise par le IIe Reich de 1871 à 1918 avant de retourner finalement à la France.

Parfait bilingue, branché sur les deux cultures, Otto se sentait en milieu familier dans cette ville que sa mère a eu envie de visiter. Il proposa donc de l'y emmener. Rassurée par le fait qu'il lui servirait de guide et d'interprète, elle accepta l'invitation avec empressement. Enfin, elle allait voir tout ce qu'il avait décrit au retour de ses voyages : la cathédrale gothique Notre-Dame en granit rose et sa curieuse horloge astronomique, le port aménagé sur le Rhin, les célèbres faïences et les porcelaines, l'université, les musées !

J'imagine sa fierté lorsque, au bras de son fils, elle est allée prendre le train à destination de cette ville mythique, sachant fort bien que, les ayant aperçus de sa fenêtre, la mère d'Émilie allait répandre la nouvelle. Après quelques visites, Otto l'avait laissée à une intersection, lui recommandant de l'y attendre, le temps de régler une affaire pas loin. Elle trouva sans doute ce temps trop long et s'aventura dans une rue voisine, puis dans une autre, en quête de merveilles à découvrir. Elle emprunta un croisement, aperçut une boutique de vêtements, puis un commerce de porcelaine, suivi d'une charcuterie. Ce qu'il y en avait, des produits alléchants sur les étalages! Son lèche-vitrine la désorienta complètement. Elle ne se rappelait plus le nom de la rue où Otto lui avait demandé de l'attendre et ignorait comment y retourner.

La panique s'empara d'elle. Elle courut dans un sens. Non, ce n'était pas par là. Elle courut dans l'autre sens. Non, pas par là non plus. Elle s'informa pour savoir comment rejoindre la gare afin d'y reprendre le train. Comble de malchance, elle tomba sur des gens qui ne comprenaient pas l'allemand. Ou qui faisaient peut-être mine de ne pas le comprendre, par ressentiment pour la guerre. L'angoisse la gagna. Comment allait-elle retourner à la maison? Elle n'aurait jamais dû sortir de son village, où tout le monde connaissait tout le monde. Dans cette ville, à part Otto, personne ne la connaissait, et elle se voyait irrémédiablement perdue. Où était-il? Où était-elle? Comment pourrait-il la retrouver?

À bout de souffle et de demandes sans réponse, elle s'assit par terre. Un attroupement se forma autour d'elle. «Qu'est-ce qu'il y a, ma p'tite dame? Est-ce qu'on peut vous aider? Où demeurez-vous?» Plus on la questionnait, moins elle y comprenait quoi que ce soit et plus sa situation lui paraissait désespérée. Attiré par le rassemblement, Otto la trouva finalement, en pleurs sur le trottoir, entourée de Français qui cherchaient à l'aider. Quel soulagement pour les deux! Le reste du voyage se déroula sans encombre. De tous les souvenirs que Margaretha rapporta de sa visite de Strasbourg, cette mésaventure demeura longuement évoquée. Y a-t-il un lien entre celle-ci et un cauchemar que Johanna faisait souvent : celui d'être seule et perdue en pays étranger, incapable de communiquer ? Ou était-il simplement attribuable à sa condition d'immigrée ?

L'ÉPREUVE

B ravant l'interdiction parentale de courtiser
la fille d'un simple mineur, Beno, le soupirant d'Hélène, en demanda la main à Joseph, qui
accepta. Sa mère s'y opposa. Il était hors de question que cette fille de condition modeste et sans
grande instruction vienne vivre sous son toit. Non,
ça, jamais ! Elle et son mari avaient trop investi
dans leur fils unique pour que ces efforts se voient
ainsi soldés par une liaison vers le bas, c'est-à-dire
vers le peuple. Eux, ils visaient haut. Il leur fallait
pour bru la fille d'un professionnel, avocat, notaire
ou médecin. En un mot, une femme qui fût digne
de leur rejeton. Ce champion d'échecs qui terminait ses études d'ingénieur ne pouvait cadrer
dans le milieu des petites gens, argumentait-elle.
Il aurait tôt fait de s'y ennuyer une fois passé le
mirage de l'amour.

Menaces, supplications, chantage, colère, rien
ne fit plier le fils récalcitrant. Il aimait Hélène
d'un coup de foudre permanent. Il aimait aussi la
famille de cette dernière et sa maison pleine de vie,
de voix, de mouvement et de lumière. Il s'y plaisait,
contrairement à la vaste et sombre demeure de son

enfance solitaire. Lui qui avait grandi en vase clos ne se lassait pas d'observer avec un sourire tranquille le va-et-vient familial.

Il parlait peu, écoutait beaucoup. Dès sa première visite, il avait conquis le cœur du jeune Werner. Par la suite, il avait trouvé en Otto un intellectuel avec qui échanger tandis qu'Agnès, Johanna et Gertrude étaient devenues des sœurs attachantes. Sous l'humble toit de l'ouvrier qui laissait sa santé dans une mine de charbon pour le bien-être des siens, Beno trouvait ce qui donnait un sens à la vie. En dépit de l'opposition de sa mère, il épousa Hélène et vint vivre avec elle dans une autre chambrette que Joseph leur avait aménagée au grenier.

Au bout d'un an naquit Gunter. Ce beau bébé apporta une joie sans bornes à toute la maisonnée. Affectionné, caressé et bercé sous le toit de Joseph, il réconcilia rapidement les deux familles au-dessus de son berceau. La belle-mère d'Hélène vit sa bru d'un autre œil et, à l'instar de son mari, elle jeta son dévolu sur ce petit-fils qui allait assurer la perpétuation du patronyme.

J'aurais aimé que cette histoire se termine ainsi. Qu'à l'image des contes de fées Hélène et Beno soient heureux et aient beaucoup d'enfants. Hélas, le nuage du malheur vint assombrir leur ciel. Gunter tomba malade vers l'âge de deux ans. Ce qui, au début, ne semblait être qu'un simple rhume présenta soudain les symptômes de la rougeole. L'enfant faisait cependant peu de fièvre, mais il s'affaiblissait considérablement malgré les soins du médecin.

Les bohémiens étant de passage, Hélène alla les consulter. Selon la guérisseuse, sans l'apparition d'une fièvre intense, le mal allait se multiplier à l'intérieur du corps. Elle préconisa de tuer un mouton, de le dépiauter et d'emmitoufler immédiatement le petit malade dans la fourrure afin de provoquer la fièvre.

La belle-mère cria au charlatanisme. Que savaient de la maladie ces mendiants sans foyer et sans instruction ? N'était-ce pas primitif, voire barbare, comme traitement ? Soustraire son petit-fils à l'univers aseptisé de la médecine conventionnelle pour l'envelopper dans la peau d'un animal fraîchement abattu, c'était le livrer assurément à la mort. Avant même qu'Hélène et Beno aient pu prendre une décision, Gunter mourut.

Le deuil d'un enfant est l'une des pires épreuves à surmonter pour des parents. Il y a toujours, quelque part au fond de soi, un gluant sentiment de culpabilité. N'a-t-on pas failli à le protéger ? Aurait-il survécu si…? Parfois, le couple s'effrite dès cet instant. D'autres fois, il se solidifie. Ce fut le cas d'Hélène et de son mari, qui furent soutenus par les membres des deux familles, partageant la même perte et la même douleur.

Johanna s'est toujours demandé si le traitement à la peau de mouton aurait pu sauver son neveu. Une théorie non prouvée jusqu'à maintenant prétend que les micro-organismes responsables des maladies ne peuvent se multiplier rapidement en présence de fièvre. Le diagnostic de la guérisseuse n'y faisait-il pas référence ?

LE BAL

Pour la fillette que j'étais, un bal masqué associait le merveilleux de Cendrillon à l'excitation de l'Halloween. À Bexbach, le bal du Mardi gras se donnait chaque année à l'auberge de la Couronne, sur la rue principale.

Je trouvais formidable que des adultes s'adonnent à ce genre de divertissement, car durant mon enfance, une fois à l'âge de la puberté, il n'était plus vraiment de mise de se déguiser pour passer l'Halloween. De porte en porte, les mains se faisaient moins généreuses à l'endroit de ceux qui étaient jugés trop vieux.

Aujourd'hui, cette fête est hautement publicisée. Les commerçants la préparent un mois à l'avance tandis que la veille et le jour même, c'est un déferlement d'annonces et d'invitations à de multiples activités. Artistes, politiciens, enseignants, tout le monde s'en mêle. À mon époque, au contraire, le directeur de l'école nous réunissait tous dans la grande salle pour proscrire la païenne coutume de la mascarade. Pendant qu'il déblatérait sur la Toussaint, la plupart d'entre nous faisions des plans de déguisement. Rares étaient les parents qui nous aidaient. On y allait de son imagination et de divers éléments qu'on pouvait dénicher ici et là. Pour cette raison, le vieux drap blanc percé de deux trous pour les yeux faisait souvent office de costume de fantôme. Ce classique n'était pas l'idéal. Après quelques pas, on se retrouvait vite les trous des yeux à la hauteur des joues, comme l'avait expérimenté mon jeune frère.

Moi qui adorais devenir un fabuleux personnage l'espace d'un soir, j'appréhendais le jour où je ne pourrais plus le faire. Quelle chance ils avaient à Bexbach de pouvoir se déguiser à l'âge adulte ! Je me consolais à l'idée que, en revanche, l'Halloween ne semblait pas y être soulignée à notre manière, du moins Johanna n'en a jamais fait mention.

Là-bas, les déguisements étaient liés au Mardi gras. Au Québec, cette tradition s'est perdue peu à peu. Personnellement, je l'ai longtemps associée à l'Allemagne. En réalité, rattachée aux rites de la religion chrétienne, elle était largement observée en Europe.

Comment un mardi peut-il être gras ? Et pourquoi pas un samedi ou un lundi ou tout autre jour ?

Tout découle de la fête de Pâques, qui est précédée du carême, c'est-à-dire d'une période de quarante jours d'abstinence et de privation. Communément appelée « manger maigre », l'abstinence consiste à se priver de viande. On se rabattait alors sur le poisson comme plat de résistance. Jusqu'au milieu du XIXe siècle, la religion catholique la prescrivait pour tous les vendredis et les samedis ainsi que lors de multiples fêtes religieuses, soit l'équivalent de cinq mois d'abstinence par année. Cette diète explique l'importance des pêcheries dans l'économie de la Nouvelle-France et, plus tard, du Canada.

En résumé, ce mardi-là est le dernier où l'on peut se réjouir avant des semaines de privation. Il est aussitôt suivi par la mortuaire cérémonie du mercredi des Cendres, au cours de laquelle le prêtre applique une pincée de cendre sur votre front en disant : « Souviens-toi, ô homme, que tu es poussière et que tu retourneras en poussière. » Pour y avoir assisté avec les autres élèves de mon école, on en ressortait inévitablement avec une face de carême…

La perspective d'une enfilade de jours mornes ne faisait qu'accentuer l'attrait d'un bal masqué. Ne fallait-il pas profiter de la magie de cette soirée de danse unique ? Au-delà du plaisir de la mascarade se profilait l'émoi du cœur et des sens. Ainsi, on pouvait apprivoiser l'amour derrière l'incognito du loup. Ou se retrouver tout près de quelqu'un à qui on était loin d'être indifférent. Ou encore on pouvait créer le mystère autour de son costume de sorte que, longtemps après, les autres demeurent sous le charme d'un personnage incarné par un inconnu ou une inconnue. Qui donc se cachait derrière cette Marie-Antoinette ? Ce Guillaume Tell ? Motus et bouche cousue, la personne en question riait sous cape en laissant planer les hypothèses et les déductions. Certaines d'entre elles étaient finalement dévoilées, d'autres ne le furent jamais, protégées par les proches qui se gardaient bien de trahir le secret.

On saisissait aussi l'occasion de s'amuser sans méchanceté aux dépens des amis. Travesti en femme, le fiancé d'Hélène s'était ainsi laissé courtiser par un ami d'enfance. Évitant de prononcer le moindre mot, le visage dissimulé derrière un masque et un éventail, il tenait le rôle d'une timide demoiselle flattée de se faire conter fleurette. Lorsqu'il se démasqua à la fin de la soirée, le prétendant pouffa de rire et cette anecdote devint un sujet de rigolade au triste temps du carême.

Johanna et ses sœurs aînées ont participé au bal masqué. Une photo la représente en danseuse de charleston. Ce qu'elle est jolie dans sa jupe courte à volants, un haut-de-forme incliné sur la tête, un veston noir, un ruban noir noué en boucle au cou et une canne à la main ! La fillette aux tresses blondes a cédé sa place à une femme en devenir, aux cheveux coupés selon la mode. Sourire coquet et yeux lumineux, elle rayonne.

Cet instant de bonheur, croqué juste avant qu'elle se rende au bal, traduit la fébrilité des moments qui ont accompagné la confection du costume. On voit qu'elle en est fière et qu'elle a hâte de le montrer. Et on devine par son attitude qu'elle s'apprête à pénétrer dans le monde du merveilleux. À y danser dans les bras de l'amour sans visage et à y faire des conquêtes sous le demi-masque de satin qu'elle portera. Qui la découvrira ? Qui découvrira-t-elle ? Mystère. Elle a rendez-vous avec le mirage d'un soir. Comme tous les invités, elle sait que le carrosse redeviendra citrouille. Qu'au lendemain elle ne sera plus une danseuse de charleston et qu'elle assistera à la lugubre cérémonie des Cendres. Et, parce qu'elle sait tout cela, le désir de vivre pleinement l'ivresse d'innocentes illusions n'en est que plus intense.

Je crois que c'était là son premier bal, et je soupçonne qu'il ait été le dernier. Quand elle regardait la danseuse de charleston, un sourire s'esquissait malgré la nostalgie de son regard. Elle revivait, j'en suis sûre, tous les instants d'excitation, de nervosité et d'attente précédant le bal. Instants vécus et partagés avec les membres de sa famille de l'idée du costume à sa confection, jusqu'aux derniers préparatifs.

Sa mère l'avait aidée grâce à ses talents de couturière. Hélène et Agnès l'avaient appuyée dans sa décision de couper ses nattes tout en lui prodiguant leurs conseils de grandes sœurs. Ses frères y étaient allés de leurs commentaires et de leurs suggestions afin que son costume soit des plus réussis et lui vaille un prix.

Pour ce qui est de son père, il lui avait prêté le veston noir de son mariage, conscient qu'au soir du bal sa « fleur de mars » quitterait l'enfance sur les pas d'une danse moderne qu'elle avait apprise. Il lui restait une fillette, Gertrude. Douce, gentille, toujours de bonne humeur, cette dernière devait avoir les yeux brillants de rêve quand la danseuse de charleston est partie pour l'auberge de la Couronne. « Un jour, ce sera mon tour », se disait-elle alors que ses parents se rappelaient qu'un jour cela avait été le leur.

LA LETTRE

Est-ce à la suite de ce bal qu'elle connut l'amour, le premier dont on pense qu'il sera le dernier, véritable et grand ? Elle n'a jamais précisé les circonstances de sa rencontre avec ce jeune homme et n'a jamais prononcé son nom, l'appelant simplement son légionnaire. Par contre, je sais que leur relation avait été suffisamment sérieuse pour qu'ils envisagent de se marier.

De lui, elle conservait précieusement une lettre dans un coffret de bois verni muni d'un petit cadenas doré. Telle une caresse, sa main en avait effleuré le couvercle avant de tourner la minuscule clé qui, pour moi, était la clé du mystère de son cœur. Quand elle m'a montré cette lettre, j'ai aussitôt été charmée par l'écriture belle et soignée. Malheureusement, je n'ai pas pu la lire puisqu'elle était rédigée en allemand. Qu'exprimaient tous ces mots si joliment alignés d'un trait de plume sur du papier fin ? J'aurais aimé que Johanna me les traduise, mais je ne le lui ai pas demandé. Ce secret lui appartenait. Je savais seulement que, selon elle, ce message de lui était le dernier, en raison de sa mort probable dans l'exercice de ses fonctions militaires.

Cette missive provenait d'Erfoud, une oasis du Maroc où ce légionnaire avait été affecté. Que faisait-il là-bas, si loin d'elle ? Pourquoi s'était-il engagé au service de la France à l'étranger ? C'était à n'y rien comprendre. Ne s'aimaient-ils pas éperdument ? Pourquoi alors était-il parti pour cinq ans, lui qui songeait à s'unir à elle pour la vie ? Que s'était-il donc passé pour que leur avenir soit ainsi compromis ?

L'explication en était toute simple, mais tellement, tellement désolante. Les recruteurs en quête de jeunes hommes pour l'armée ou la marine marchande utilisaient souvent une méthode peu honnête, se tenant à l'affût dans les auberges. À la suite du krach de 1929, l'endroit était un terreau fertile pour faire reluire des possibilités d'avenir à qui n'avait pas d'ouvrage et en cherchait. On ciblait un tel candidat, on l'approchait amicalement en lui payant une chope de bière et on entamait la conversation. De gorgée en gorgée, le jeune homme dévoilait ses rêves, ses amours et ses difficultés. Une fois bien soûlé, on l'appâtait avec la perspective d'un salaire régulier et, partant, d'un bel avenir. Ivre d'espoir autant que d'alcool, le jeune homme signait une offre et s'engageait ainsi « volontairement » sans en avoir vraiment pris conscience. Quelle chance il avait eue de tomber sur cet étranger qui le sortait du pétrin, pensait-il ! Il élaborait des projets, se voyait déjà annoncer la chose à sa dulcinée, à ses parents ainsi qu'aux parents de cette dernière. Il calculait d'avance comment dépenser sa première paye : un cadeau pour sa mère ou des vêtements neufs, ou une bague de fiançailles. Bien sûr, il réglerait quelques dettes ici et là, rien de compliqué quand on a des rentrées d'argent régulières. Ainsi, il planait dans les nuages jusqu'à ce que les vapeurs d'alcool se dissipent. Brutalement, c'était la chute d'Icare. Incrédule, il lisait et relisait son contrat d'engagement, ne comprenant pas pourquoi il l'avait signé. Car c'était bien sa griffe, là, au bas d'un texte qui faisait s'écrouler le château de cartes de ses espérances.

Comment s'en libérer? Il consultait à gauche et à droite, arguant qu'il était alors en état d'ébriété. Le recruteur affirmait le contraire, l'obligeant à honorer sa signature. C'était une parole contre une autre. De toute façon, s'il refusait de partir, on viendrait le chercher de force, et sa réputation de personne peu fiable allait lui nuire. Qui voudrait d'un employé qui renie sa propre signature? De leur côté, bien que navrés, ses parents insistaient pour qu'il assume son geste. Il en allait de l'honneur de la famille, de l'honneur du nom écrit en bonne et due forme.

Il dut faire ses adieux à Johanna. Quand quelques heures sans l'autre deviennent une éternité, que représentent cinq ans? Ils ont pleuré, se jurant de toujours s'aimer et de ne jamais s'oublier. Il a promis de revenir, elle, de l'attendre. Ils se sont embrassés une dernière et encore une dernière fois, et encore une dernière, dernière fois, cherchant le courage du tout dernier baiser, des doigts qui se délient, des regards qui s'attachent jusqu'à ne plus le voir. Ne plus la voir. Jusqu'à ce qu'il ne reste qu'une promesse dans le silence : «Je t'écrirai.»

ILLUSION

Quand j'écoutais la *Polonaise* de Chopin sur notre tourne-disque, je la jouais en même temps sur le petit bureau de ma chambre. Mes notions de solfège se limitaient à une gamme de sept notes débutant et finissant par *do*. Je ne savais pas lire la musique, encore moins jouer du piano. Nous n'en avions même pas. Cependant, je croyais que si j'avais l'occasion de poser mes doigts sur les touches de cet instrument, j'exécuterais sans problème cette œuvre magnifique. Il ne pouvait en être autrement. À force de l'entendre, elle n'avait plus de secrets pour moi. Je la connaissais par cœur. Elle m'habitait et j'étais convaincue – mais vraiment convaincue – que je n'aurais aucune difficulté à l'interpréter.

L'occasion se présenta lorsqu'une compagne de classe m'invita chez elle. N'osant refuser, j'étais heureuse de faire un pied de nez à la timidité qui m'isolait dans la cour de récréation. Qu'ai-je alors aperçu en passant devant le salon ? Un piano. Un vrai. Ni noir ni à queue comme ceux des concerts, mais droit et de couleur blanche saupoudrée de minuscules pigments dorés. Mine de rien, je me suis informée pour savoir qui en jouait. Ma camarade m'apprit que ses cinq sœurs suivaient des leçons et que sa mère maîtrisait l'instrument avant de se marier.

Des partitions musicales traînaient un peu partout. Au-dessus du clavier, les pages ouvertes de l'une d'elles attirèrent mon attention. Ce que ces portées semblaient compliquées à déchiffrer! Et dire que, moi, je les avais toutes dans ma tête… «Est-ce que tu en joues?» m'a demandé sa mère en entrant soudain dans la pièce. «Un peu… ben, juste la *Polonaise* de Chopin», ai-je timidement balbutié.

Effet bœuf. Elle n'en revenait pas. À un si jeune âge! J'étais alors en quatrième année du cours élémentaire. Elle regrettait de ne pas en avoir la partition. «J'la sais par cœur», ai-je bredouillé, inconsciente de l'impasse dans laquelle je m'engageais.

Double effet bœuf. Une virtuose méconnue sous son toit! Elle a fait venir ses autres filles, m'a dirigée vers le banc et m'y a assise presque de force. «Tu vas nous jouer ça. La *Polonaise*! Ce n'est pas rien. Écoutez bien, les filles.»

Leur présence me gênait au plus haut point. J'avais toujours imaginé être seule pour cette expérience. Comment faire marche arrière? J'avais envie de partir, mais, d'un autre côté, je craignais de ne plus avoir la chance de jouer sur un vrai piano. Je devais en profiter. C'était le moment ou jamais.

Mes mains arrivaient au milieu du clavier, qui était deux fois plus long que mon bureau. Où devais-je les poser? J'ai fermé les yeux pour retrouver la musique en moi, puis j'ai attaqué les premières mesures.

Catastrophe! Cacophonie! Déconfiture! La réalité m'éclatait au visage. Je ne savais pas jouer du piano. Le pire, c'est qu'elles en étaient toutes témoins. Je fondais littéralement de honte et de gêne sur le banc. Pour me sortir de cette humiliante situation, la maman musicienne expliqua à ses filles l'importance de la partition et termina en me glissant d'un ton consolateur que ça irait mieux la prochaine fois. Aucune n'était dupe. Il n'y aurait pas de prochaine fois. Même pas sur les touches imaginaires de mon bureau.

Je me suis enfermée davantage dans mon mutisme, désirant passer inaperçue après m'être ridiculisée de la sorte. En moi, les certitudes de l'enfance étaient ébranlées. Ainsi en fut-il de la connaissance que je croyais avoir de l'Allemagne.

Le pays que nous avait décrit l'institutrice différait totalement de celui que m'avait raconté Johanna. Ce pays-là avait entraîné le monde entier dans une guerre d'une atrocité sans précédent. Les Allemands étaient des méchants, les plus méchants de tous les temps. Ces bourreaux avaient torturé et éliminé des millions de Juifs, femmes, vieillards et enfants. À cause d'eux, d'autres millions d'hommes avaient perdu la vie en les combattant, engendrant veuves et orphelins. Ces êtres cruels avaient mis la vieille Europe à feu et à sang, ne laissant que ruines et désolation sur leur passage. Parmi les soldats canadiens survivants, plusieurs étaient revenus avec des membres manquants, des yeux crevés, des visages défigurés ou des traumatismes psychiques. Les images d'horreur défilaient dans nos jeunes esprits mais, dans le mien, ces images entraient en contradiction avec les récits de Johanna.

Elle ne m'avait jamais parlé de cela. Et j'étais persuadée qu'elle ne m'avait jamais menti. J'étais affligée de voir qu'elle était éclaboussée par tout ce sang innocent versé par les victimes des criminels nazis. Non seulement elle, mais aussi son père, sa mère, ses frères et ses sœurs. Je devais la défendre. Les défendre. Alors, moi qui ne parlais à personne, moi qui jamais ne levais la main en classe pour répondre aux questions même si j'en connaissais les réponses, je l'ai levée pour la première fois. Interloquée, l'institutrice s'est tue. Tremblant de tout mon corps, je me suis mise debout et, d'une voix chevrotante, je lui ai dit qu'elle se trompait. Que ni Johanna ni aucun membre de sa famille n'étaient de tels bourreaux. Au bord des larmes, je me suis rassise, l'âme envahie par le doute. Avais-je l'illusion de connaître l'Allemagne comme j'avais eu celle de pouvoir jouer la *Polonaise* de Chopin ?

Je n'ai pas osé en toucher mot à Johanna, espérant bien naïvement qu'elle ne soit pas au courant de la sombre réputation de son peuple. Étant donné qu'elle n'avait jamais abordé le sujet avec moi, peut-être l'ignorait-elle tout simplement.

Je n'étais pas la seule à écouter ses histoires. Ma sœur et mon frère faisaient également partie de son petit auditoire. Elle nous avait appris quelques mots de sa langue, « *Ja, nein, guten Tag, danke schön, ein, zwei, drei.* » Je m'efforçais de les prononcer correctement, ce qui semblait lui faire plaisir. Elle précisait que cette prononciation différait de celle, beaucoup plus gutturale, des Allemands du Nord, qu'on appelait aussi des Prussiens et dont la capitale était Berlin. J'en avais conclu que c'étaient eux, les méchants.

Au fil du temps, Johanna m'a raconté le livre de sa vie. Une à une, elle en tournait les pages parsemées de joies, de chagrins et de rêves au cœur des réalités quotidiennes. Puis, un jour, elle tourna la sombre page de la Seconde Guerre mondiale.

LE DERNIER ACTE

N'ayant pas eu la chance de terminer ses études de droit, Otto devint greffier à la Cour. Idéaliste dans l'âme, il assistait à des rassemblements qui s'opposaient à la montée d'Adolf Hitler. À la suite du raz de marée nazi aux élections de 1930, il s'engagea davantage, prenant la parole en public. Sans le savoir, il tenait là le rôle du perdant dans une pièce tragique qui allait se jouer sur la scène mondiale. Le texte avait été inspiré par le livre *Mein Kampf*, et les affiches de la représentation à venir étaient déjà placardées, avec leur croix gammée noire sur fond rouge.

En coulisses, dans le silence de la nuit, Otto aidait des réfugiés politiques à traverser en France. Parfois, il devait les cacher dans la cave de la maison familiale dans l'attente d'une occasion favorable.

Inquiet de voir se profiler le masque haineux de la guerre, son père, Joseph, approuvait son geste malgré les risques courus. Peut-être était-il encore temps. Hitler ne détenait pas les pleins pouvoirs.

En réalité, il était trop tard. Des paramilitaires de l'organisation nazie, nommés les Chemises brunes, parcouraient déjà les villages, arrêtant, rossant et allant jusqu'à tuer impunément les adversaires de leur parti. Juifs, communistes, socialistes et intellectuels étaient accusés sous des prétextes inventés et conduits à un camp de concentration à Dachau, tandis qu'au nom de la pureté de la race on se débarrassait en sourdine des bohémiens, des handicapés et des homosexuels.

La particularité du Saarland, qui allait avoir le choix, en 1935, de retourner ou non à l'Allemagne, imposait aux nazis la nécessité d'y éliminer tout germe d'opposition. Un matin, on trouva donc Otto, le front ensanglanté et le visage affreusement tuméfié. Pour s'être levé contre la croix gammée, il avait été tabassé et on l'avait laissé pour mort. Une fois guéri de ses blessures, il passa en France.

La guerre n'avait pas été déclarée, mais c'était tout comme. À Berlin, par milliers, les Chemises brunes avaient défilé à la lueur des flambeaux sous l'œil satisfait de leur Führer. Sur leur parcours, on les avait acclamés en levant le bras et en criant : « *Heil Hitler !* » Puis, un jour, ces nazis martelèrent de leurs bottes le pavé de la rue principale qui traversait Bexbach. Recueilli devant l'icône, Joseph ne sortit pas de sa maison pour exécuter ce salut. Jamais il ne l'aurait fait.

L'horreur s'approchait. Il ne pourrait pas y échapper.

Il alla s'asseoir sur le banc du jardin, tant de fois utilisé pour le contentement du corps et de l'âme. Il contempla la maison dans laquelle il avait espéré vieillir auprès de sa chère Margaretha. Sur ce banc, ils auraient uni leurs mains ridées, se reposant de menus travaux ou observant leurs enfants et petits-enfants cueillir pommes, prunes et pommes-poires aux arbres transplantés par Balthazar.

Cela ne serait jamais.

Pour lui et les siens, il n'y avait plus d'avenir au pays. Ni même de sécurité. Ils devaient le quitter. Là où ils allaient émigrer, il y aurait une rupture avec leur manière de vivre. Plus jamais il n'irait en famille à l'auberge du moulin boire de la bière pendant que des enfants apprennent à nager sur une planche. Plus jamais un bohémien ne le ferait pleurer en lui jouant l'*Ave Maria* au violon, plus jamais la kermesse, plus jamais le bal masqué du Mardi gras. Plus jamais Fridolin, plus jamais ses parents et ses amis. Plus jamais sa fille Hélène, maintenant avec son mari.

Ils allaient laisser derrière eux leur passé, leurs rêves, leurs amours et leurs amitiés, toute cette richesse sans prix. Joseph calcula le montant qu'il obtiendrait grâce à la vente de sa maison et de ses biens. C'était suffisant pour s'établir au Canada.

Le pays de l'enfance

Afin de ne pas éveiller les soupçons, ils ne quittèrent pas tous Bexbach en même temps.

À dix-neuf ans, Johanna traversa seule l'Atlantique à bord d'un navire. Au cours du voyage, elle eut la chance d'apercevoir, par un hublot, des dauphins qui semblaient accompagner le navire en sautant parmi les vagues. C'est aussi à bord qu'elle a goûté pour la première fois au « pain brûlé américain », c'est-à-dire à une rôtie.

En novembre 1933, elle débarquait au port de Québec, en souliers dans vingt centimètres de neige. Elle se trouvait sur un sol où l'on parlait français avec un accent que son frère Otto allait devoir apprivoiser lorsqu'il viendrait à son tour.

Dans les derniers jours de sa vie, alitée et malade, Johanna ne parlait plus que sa langue maternelle. Avec mes rudiments d'allemand, je lui ai demandé de me parler en français. « *Ich spreche nicht Französisch* », a-t-elle murmuré sur le ton de l'évidence. Elle était retournée au pays de son enfance. Oh ! Comme j'ai souhaité qu'elle y retrouve la fillette aux nattes blondes qui allait mener ses oies au ruisseau ! Et qu'au retour, assise sur le banc du jardin, elle y écoute monter la musique de Heinrich, oubliant qu'il était mort durant la Seconde Guerre mondiale, tout comme le mari d'Hélène, alors papa d'un second fils. Oubliant que cette guerre, déclenchée encore une fois par l'Allemagne, avait eu lieu.

Ne pouvoir communiquer avec elle m'a bouleversée, car plus la mort approche, plus on ressent le besoin de dire les choses essentielles. Hélas, je n'ai pas pu lui faire savoir à quel point elle avait été précieuse et unique pour moi. Combien je l'avais aimée, combien je l'aimais et l'aimerais toujours.

J'ai très bien connu Johanna. C'était ma mère.

LE PAYS
DU RECOMMENCEMENT

LA PROMESSE

« Certains dimanches après-midi d'été, ma mère nous emmenait jouer au parc Nicolas-Viel, près de la rivière des Prairies, à Montréal. Je savais qu'à cause de la rivière c'était plus prudent qu'elle nous accompagne. Ça se noie vite, un enfant, mais ma mère savait nager…

Chaque fois, je m'amusais tout mon saoul avec ma grande sœur, mon petit frère et leurs amis, convaincue que la joie de ma mère consistait à nous regarder courir, sauter et rire. Sans doute en était-il ainsi, je ne lui ai jamais posé la question, mais j'ai toujours noté son empressement à "aller au parc", laissant le train-train quotidien pour se retrouver au bord de la rivière des Prairies, dans ce pays nouveau pour elle. Car ma mère venait d'ailleurs. D'Allemagne plus précisément. Copains et copines prétendaient qu'elle parlait avec un accent. Nous, nous contestions. Jamais nos oreilles n'avaient décelé le moindre accent chez elle. Elle venait d'ailleurs, c'était tout. Pour le reste, elle était comme les autres mamans. Seul différait le regard qu'elle portait sur le pays. Elle voulait en connaître les racines profondes pour y nouer les siennes, extirpées du sol natal. »

Ce texte, qui figure en guise d'entrée en matière dans *La rivière profanée*, premier tome de la saga historique *Feu*, ébauchait un portrait de ma mère. C'était en 2004.

Durant mon adolescence, je lui avais écrit un récit d'une cinquantaine de pages. Intitulé *C'était un village*, il relatait certains faits de sa vie à Bexbach. Elle a été émue de le recevoir et l'a lu avec grand intérêt, y apportant des précisions et des corrections.

Puis il y a eu l'âge adulte, l'amour, la naissance de ma fille et ma carrière d'écrivaine. Toutefois, sa vie là-bas occupait fréquemment nos conversations. Elle m'avait dessiné un plan de son village, situant sa maison, son école, son église, le vieux cimetière. Elle avait aussi dressé une généalogie sommaire de ses lignées paternelle et maternelle. Finalement, à l'aide du petit magnétophone que j'utilisais pour mes entrevues dans le cadre de mes recherches, je l'avais enregistrée.

Tout ça reposait dans mes cartons.

J'étais désemparée à l'approche de son décès. Je n'avais plus de mots pour la rejoindre. Mes mots, ceux de la langue française, n'existaient plus pour elle. Le fil de la parole était rompu. Une parole si précieuse à l'instant ultime. Dernier message d'amour, enfermé dans un grave silence où s'entend le bruit léger des pages d'un dictionnaire qu'on tourne pour traduire de l'allemand au français ou du français à l'allemand.

À partir du moment où j'avais pris sa défense en quatrième année, j'ai fait la différence entre l'univers de Johanna et celui des cruels nazis. Cependant, dans tous les documentaires, films et témoignages traitant de ce sombre pan de l'histoire mondiale que j'ai vus, la voix de ma mère et des siens s'amenuisait pour devenir celle, toute petite, du myosotis.

À cause du patronyme typiquement pure laine de mon père, mes origines germaniques passent inaperçues. Que de fois j'ai entendu : «Tous les Allemands n'étaient pas nazis, mais tous les nazis étaient allemands !» Ce à quoi je répliquais qu'Adolf Hitler était en réalité autrichien. Aujourd'hui, cette ritournelle s'emploie en remplaçant «allemand» par «musulman» et «nazi» par «terroriste».

Je sentais confusément que ma prise de position en faveur de ma mère devait se poursuivre, mais c'est à son chevet, à ses derniers moments, que j'en ai pris pleinement conscience. Je lui ai alors promis de créer un personnage allemand qui ferait entendre la voix du myosotis, ignorant à ce moment-là que Johanna serait ce personnage. Sans doute n'a-t-elle pas compris mon propos. «*Ich spreche nicht Französisch.*»

Qu'importe ! C'est aussi à moi que j'ai fait cette promesse. Peut-être même *surtout* à moi. Alors que j'avais entrepris le sixième volet de la saga *Feu*, cette promesse m'a rattrapée. Et elle est devenue obsédante. Je ne pouvais plus remettre le projet à plus tard.

Malgré le bagage amassé, l'écriture en fut difficile. Une curieuse impression d'indiscrétion m'habitait. Avais-je le droit de raconter cette histoire ? De dévoiler ainsi une partie intime de la vie de ma mère et de celle de ses deux autres enfants, de ses petites-filles et de ses proches parents ? Aurait-elle approuvé ? Devais-je faire entendre sa parole au nom de tous les myosotis du monde ?

Autant de questions qui me laissaient perplexe jusqu'à ce que je considère d'un autre angle la somme d'information qu'elle m'avait fournie à partir du moment où je lui avais offert mon premier ouvrage la concernant. N'était-ce pas sa façon de collaborer à une éventuelle réécriture ? Sa parole n'était-elle pas un legs à transmettre à mon tour ? Il m'a semblé que oui.

Une fois terminé le récit de sa vie en Allemagne, la nécessité de donner un aperçu de sa vie au Canada s'est imposée. Cette entreprise s'est révélée encore plus ardue. On ne remue pas sans conséquence le terreau de l'enfance dans lequel s'enchevêtrent les racines.

Inévitablement, les miennes étaient liées aux siennes.

RÉMINISCENCE

À la suite de ma mémorable interprétation de la *Polonaise* de Chopin, je n'allais plus chez personne, ni vers personne. Je m'isolais dans mon coin, sachant que j'étais incapable de jouer du piano et que le peuple de ma maman avait été – semblait-il – d'une cruauté inouïe.

Je demeurai dans l'ombre et le silence, ayant pour seule amie la fillette aux tresses dorées qui gardait ses oies, pieds nus dans le ruisseau.

Les mamans d'alors différaient beaucoup de celles d'aujourd'hui. Une infime minorité d'entre elles occupaient un emploi. Les autres, baptisées « reines du foyer », restaient à la maison. Étant donné qu'elles n'étaient pas rémunérées, le concept de travail n'était pas associé à leurs multiples tâches. Pourtant, elles ne cessaient de vaquer à des occupations.

J'ai donc grandi auprès d'une maman qui était présente vingt-quatre heures sur vingt-quatre, baignant ainsi dans l'aura de Johanna. Elle téléphonait régulièrement aux siens, prenant de leurs nouvelles et leur transmettant des nôtres. Cependant, nos familles respectives n'avaient pas souvent la chance de se rencontrer. Conséquemment, les membres de ma parenté allemande m'étaient plus ou moins étrangers, bien que j'aie vécu en pensée parmi eux dans ce petit village de l'entre-deux-guerres que traversaient des bohémiens. Pour cette raison, l'histoire de leur intégration en terre d'accueil sera un bouquet de mes souvenirs, éparpillés et fragmentaires, glanés au passage du temps.

CHEZ OMA

Je n'ai pas eu la chance de connaître ce cher Joseph, que j'aurais appelé *Opa*, c'est-à-dire « grand-papa ». Lui et Margaretha frisaient la cinquantaine à leur arrivée au Canada. En horticulture, plus l'arbre est vieux, plus il est difficile de le transplanter ; il en est de même chez les humains. Ces deux-là s'exprimaient presque exclusivement dans leur langue maternelle.

Au retour de l'école, quand j'entendais ma mère parler allemand au téléphone, je savais qu'à cette heure-là elle s'entretenait habituellement avec *Oma*, ma grand-maman qui vivait avec tante Gertrude, son mari et leur fils. Elle y bénéficiait d'une pièce confortable aménagée à son goût, où ses enfants et petits-enfants allaient lui rendre visite. Aux grandes occasions, plusieurs s'y retrouvaient en même temps. Noël demeure l'une de celles que j'aime me remémorer.

Nous y allions après le dîner. Petite de taille, avec un beau sourire, *Oma* nous prenait les mains et nous disait des choses affectueuses que nous ne comprenions pas, mais que ses yeux traduisaient. Entre seize et dix-sept heures, elle nous offrait fièrement ses délicieux *cookies* et des prunes confites. Servir du café avec une collation sucrée en fin d'après-midi était une tradition que Joseph avait tenu à conserver et que j'ai adoptée en mémoire de ma mère à chaque anniversaire de sa naissance.

C'était étrange de me retrouver immergée au sein de cette famille sans pouvoir communiquer par la langue, qui passait parfois de l'allemand à l'anglais. Mais cela me plaisait de voir ma mère s'y plaire. Ses yeux brillaient du bonheur d'être parmi les siens. D'entendre et de prononcer les mots par lesquels son identité s'était forgée.

Sagement assis, ma sœur, mon frère et moi écoutions sans rien dire, souriant quand on nous souriait et observant les branches ployer sous les décorations du magnifique sapin. Quel contraste avec le nôtre, plutôt chenu! Également d'origine allemande, le mari de tante Gertrude consacrait temps et argent à accrocher à son arbre toutes sortes de lumières et de babioles d'importation qui se distinguaient de celles qu'on se procurait habituellement dans nos magasins. Il y mettait tout son cœur, impatient d'allumer son œuvre lorsque la noirceur du solstice d'hiver se serait installée. Émerveillés, tout le monde s'exclamait alors. Subitement, le sapin était devenu le centre de l'attention. J'étais éblouie. La lumière multicolore illuminait, scintillait et clignotait de partout. Mon regard papillonnait, passant du bon saint Nicolas aux cannes en sucre, courant sur les guirlandes, cueillant des étoiles et des pommes de pin, découvrant d'espiègles lutins et admirant des boules d'une incroyable originalité. J'étais particulièrement fascinée par des répliques miniatures de glaçons dans la transparence desquels chatoyait un reflet bleuté. Ce moment rappelait la magie qui accompagnait l'ouverture des portes du mystérieux salon à Bexbach.

Dessous, il y avait un cadeau pour chacun des enfants. On nous le donnait, on remerciait, on le déballait en prenant bien soin de ne pas déchirer le papier de manière qu'il puisse servir de nouveau, puis on faisait savoir qu'on était content. La plupart du temps, il s'agissait d'un casse-tête. Faute de patience, je n'ai jamais réussi à en terminer un, mais l'essentiel était qu'on avait pensé à nous. À moi. Je rapportais quelque chose de tangible de cet après-midi-là. De cette famille-là, à laquelle j'avais été unie l'espace de quelques heures et dont le retour à la maison me séparerait.

Il m'en restait toujours une certaine tristesse. Une conscience d'être différente de ces parents-là et de ne pas avoir vraiment réussi à leur dire ce que je ressentais. Selon les aléas de la vie, certains d'entre eux se pointaient peu avant notre départ, et d'autres après celui-ci. À deux ou trois reprises, mon oncle Otto était arrivé avant nous. Il nous avait parlé dans son français de France. Impressionnée par sa réputation d'élève brillant et studieux, j'éprouvais à son endroit une secrète admiration et je m'en fis un exemple à suivre. À juste titre, ma mère déplorait qu'il n'ait pas déniché un emploi à la hauteur de sa qualification, ses diplômes n'ayant pas été reconnus. Il travaillait comme contremaître de nuit pour l'entretien ménager de l'édifice de la compagnie d'assurances Sunlife.

J'ai souvenance d'échanges de souhaits dans l'entrée entre nous qui partions et mon oncle Werner qui arrivait de l'Ontario avec sa femme, ses deux fillettes et une bûche de Noël provenant de sa pâtisserie. Nous chaussions nos bottes, nos cousines les enlevaient. Elles parlaient anglais, nous pas. On se souriait de part et d'autre, n'ayant rien à partager outre cette fête de Noël qui pour nous s'achevait du côté maternel de la parenté et qui, pour elles, débutait.

Mon oncle Werner était un homme extrêmement sympathique. Il se débrouillait fort bien en québécois et ne manquait jamais de l'utiliser en notre présence. D'ailleurs, tout comme ma mère et Otto, il était en mesure de s'exprimer dans les trois langues. Pour leur part, mes tantes Agnès et Gertrude évoluaient dans un milieu strictement anglophone et connaissaient très peu le français. Comment expliquer une telle disparité linguistique au sein d'une même famille ? Tout simplement par leurs parcours différents.

THE PROVINCE OF QUEBEC

Quand Johanna a été admise par le bureau d'immigration, elle fut accueillie par une inscription en grosses lettres : « *Canada welcomes you.* » Cela supposait l'anglais comme langue d'usage. Elle alla rejoindre sa sœur Agnès, qui l'avait précédée au pays et qui s'était fixée dans le quartier Outremont.

Auprès d'une population anglophone, toutes deux travaillaient dans un salon de coiffure où elles exécutaient les tâches connexes au métier. Grâce à la blondeur exceptionnelle de ses cheveux, Johanna servait de modèle pour illustrer les coupes en vogue, ce qui incitait certaines clientes à opter pour une teinture. Elle avait même participé à un concours lors duquel le coiffeur, également propriétaire de l'établissement, avait remporté un prix, ce qui avait procuré une belle publicité au salon et, indirectement, à Johanna, *the blond girl* dont la chevelure faisait rêver. Drôle de revirement pour la fillette de Bexbach qui aurait préféré être brunette !

L'apprentissage de l'anglais se fit en tout lieu et en tout temps, autrement dit « sur le tas ». Agnès envoyait sa jeune sœur à l'épicerie avec une liste de provisions rédigée en allemand. Pas question de l'accompagner pour l'aider à repérer les articles désirés. Johanna devait se débrouiller.

Plongées dans ce milieu, les deux sœurs connaissaient toutefois l'existence d'une population francophone à Montréal, sans pour autant avoir une idée précise de son importance. Elles n'en ont probablement pas fait mention dans leur correspondance avec leur père, qui avait dû acquérir d'avance une propriété au Canada afin de pouvoir y émigrer avec le reste de la famille, à l'exception d'Hélène. Joseph avait donc acheté à l'aveuglette une ferme à Sainte-Rose, sur l'île de Laval. Sur le navire voguant vers l'Amérique, il avait appris avec stupéfaction, d'un passager, que *the province of Quebec* était majoritairement peuplée de francophones. Comment cela se pouvait-il ? L'endroit où se situait sa nouvelle demeure n'était pas tellement éloigné de Montréal, où ses deux filles se débrouillaient déjà en anglais, une langue relativement facile à apprendre pour un germanophone. Incrédule, il montra ses titres. L'homme confirma que, là où ils allaient s'établir, on s'exprimait bel et bien en français. L'espoir qui reposait sur ses filles se tourna dès lors vers Otto, qui, de la France, les avait rejoints pour le voyage. Ne parlait-il pas couramment français ?

LA PROVINCE DE QUÉBEC

Le français de France, oui. Le québécois, non. Le pauvre! Notre parlure lui donna bien du fil à retordre. Il saisissait un mot par-ci, par-là, fouillait sans cesse la traduction dans son dictionnaire et faisait répéter son interlocuteur.

Le voisin de clôture avait l'habitude de commencer ou de terminer ses phrases par «j'crée ben», comme dans «j'crée ben qu'y va mouiller» ou «y va mouiller, j'crée ben». Otto croyait avoir affaire à un seul mot auquel il attribuait différentes orthographes: chcrébain, shkrében, shcrébin…

Le dictionnaire n'étant d'aucune utilité, découvrir la signification de «j'crée ben» devint pour lui un défi. Peut-être était-ce là une clé pour déverrouiller la compréhension du langage… Les siens comptaient sur lui pour les représenter auprès de la population locale et répondre en même temps à leurs questionnements à propos de leur pays d'adoption.

Il se mit assidûment à la tâche d'associer les sons aux signes écrits. La découverte que «j'crée ben» correspondait à «je crois bien» le mit sur la bonne piste. Ainsi, les syllabes «ois» et «oi» se prononçaient parfois «é», tandis que «oit» et «oite» devenaient parfois «ette», comme dans «tourne à drette». Pour sa part, la syllabe «oid» se disait aussi parfois «ette», tandis que «ait» se transformait parfois en «a», comme dans «y fa frette». Cette dernière phrase prit tout son sens l'hiver venu, le frette québécois se révélant plus intense que le froid français.

Le mot «là» se distinguait à son tour, désignant aussi bien un moment qu'un lieu, comme dans «Là, c'est le temps de mettre ça là».

Otto finit par comprendre le dialecte de l'époque, sans toutefois l'adopter. Il conserva toujours l'accent fort charmant qu'il avait acquis à l'école française de son village.

QUEL ACCENT?

Mais pourquoi, à mon sens, ma mère ne présentait-elle pas d'accent? Était-ce dû au fait que j'étais familière avec sa façon de s'exprimer et que le fond m'importait plus que la forme?

Je trouvais qu'elle parlait sans accent puisque je la comprenais aussi aisément que je comprenais mon institutrice. Et puis, elle éprouvait les mêmes difficultés que nous relativement aux caprices de notre langue.

Parmi les leçons que nous devions apprendre par cœur figuraient les questions-réponses du *Petit catéchisme*. Le livre en main, ma mère me les posait le soir. Je me souviens d'avoir rigolé quand elle a demandé: «Qu'est-ce que le sacrement du baPtême?» On ne prononce pas le «p», que je lui fais remarquer. De son doigt, elle m'indique qu'il y a bel et bien un «p». «Oui, le "p" est là, mais il faut faire comme s'il n'était pas là.» Ah, bon. Léger sourcillement. Elle s'interroge. De mon côté, je cherche en vain une explication. Je révise les mots comprenant cette lettre. La recherche se complique. Pourquoi le «p» de «baptême» est-il muet et pourquoi celui qui précède un h donne-t-il le son f, comme dans « éléphant » ?

L'épellation de ce dernier mot m'est dramatiquement restée en mémoire. Je l'ai apprise en deuxième année, sous la férule d'une impitoyable maîtresse. Une élève de ma classe, peut-être dyslexique, multipliait à l'infini les fautes d'orthographe et de lecture. Chaque jour, nous avions à mémoriser quelques mots de vocabulaire, et, chaque matin, cette enseignante nous demandait à tour de rôle de les épeler. Si nous commettions une erreur, il fallait nous rendre à son bureau à l'avant de la classe et lui tendre le dos de notre main afin de recevoir des coups de règle dont un des côtés était serti d'une mince tige de métal. Naturellement, notre intransigeante titulaire se servait de ce côté. Pour y avoir goûté une seule fois, je savais à quel point cela faisait mal. Or, cette élève avait reçu tant de coups que le dessus de ses mains présentait des plaies. Vint le moment fatidique où il lui fallut épeler « éléphant ». « E accent aigu, é, bredouilla-t-elle, l, e accent aigu, lé… », puis un silence qui s'éternisait. Elle hésita et se mit à trembler. Je devinais pourquoi. Elle ne savait plus, elle ne savait pas. J'essayai de communiquer avec elle par télépathie, « p, h, ant, phant ». Évidemment, cela ne fonctionna pas et, les yeux par terre, elle laissa tomber la fatale lettre « f ».

Nous étions toutes terrorisées lorsqu'elle reçut sa punition, les oreilles vrillées par l'institutrice qui criait « p, h, ant, phant » à chaque coup. Celle-ci n'eut pas d'autre occasion d'appliquer sa cruelle méthode pédagogique, car elle fut remplacée par une bonne vieille enseignante du genre grand-mère compréhensive. Hélas, cette élève ne s'en est jamais remise, son estime de soi réduite à néant. Pour avoir suivi le même parcours scolaire qu'elle, je sais que le sien ne fut qu'une suite d'échecs. Et j'ai appris plus tard que sa vie d'adulte avait consisté à voguer de dépression en dépression.

Dans ma logique d'enfant, si nous éprouvions des difficultés à apprendre notre belle langue, il était normal que ma mère en éprouve également. Ce «p» qu'il fallait ignorer, cet autre qui devenait un «f», le «y», tantôt voyelle, tantôt semi-consonne, le genre accordé aux objets, tout semblait aléatoire. Il fallait savoir, c'est tout. Il s'agissait de connaître la musique d'une langue. Pourquoi «brochet» était-il masculin et «truite» de genre féminin? Ce sont deux poissons!

Drôle d'accent
et accent drôle

J'ai vraiment pris conscience de l'accent de ma
mère lorsque, en sixième année, j'ai eu à traduire
ses propos à une camarade venue chez moi pour
la première fois. « Qu'est-ce qu'elle a dit, ta mère ?
— Quoi ? T'as pas compris ? — Ben non, j'ai pas
tout compris, elle parle bizarre. » J'ai alors expliqué
ce qui, à mon oreille, paraissait une évidence.

Cette fille aux grands yeux noirs candides et au
rire facile avait entrepris de m'apprivoiser. Pour ma
part, j'avais le désir d'en devenir l'amie. « Est-ce
qu'elle est anglaise ? — Non. — Elle est quoi,
d'abord ? — Allemande. » Monique a haussé les
épaules, sans plus. Ce fut le début de notre longue
amitié. Première lectrice des histoires qui me trottaient en tête, elle m'avait prédit que je serais un
jour écrivaine.

Voilà, le fait était établi : ma mère parlait avec un
accent. Unique en son genre, celui-ci différait de
celui d'Otto et s'apparentait à un curieux mélange
d'anglais et de québécois. Plus je vieillissais, plus
je le remarquais, et plus il m'interpellait.

Johanna utilisait parfois des termes précis et
justes qui détonnaient dans le langage vernaculaire.

Étrangement, elle les prononçait correctement alors qu'elle n'y parvenait pas avec des mots très simples. Ainsi, dans sa bouche, «pinceau» et «pinson» sonnaient pareils. Que de fois nous avons essayé de lui montrer la différence entre les sons «o» et «on»! La voir positionner les lèvres dans un effort intense pour y arriver nous faisait bien rire, ce qui, immanquablement, la faisait s'esclaffer à son tour.

Le fait qu'elle ne comprenait pas toutes les subtilités du français nous a même déjà épargné une punition. Mon frère et moi avions été impolis avec un de nos voisins en utilisant de façon péjorative à son endroit le terme «bonhomme». Ma mère reçoit la plainte de l'offensé en personne et elle lui promet de sévir. Il s'en va et elle nous convoque. Nous savons pourquoi, mais nous ne sommes pas tellement inquiets. Notre mère n'était guère sévère, compensant pour notre père, qui l'était à un coefficient exponentiel. Elle demande si le voisin a dit vrai. Nous acquiesçons. Elle nous reproche d'avoir été polissons. Et nous de répliquer, avec un air angélique, qu'au contraire nous avions voulu être gentils, «bonhomme» signifiant *good man*.

Son expression dubitative nous indique que notre plaidoyer nécessite une explication plus approfondie. Nous traduisons alors au mot à mot. «Bon, c'est *good* en anglais?» Elle approuve. «Homme, c'est *man*, ça fait *good man*. Y a rien d'impoli là-dedans!» Elle réfléchit un moment puis nous laisse filer, s'interrogeant sur l'intervention du voisin.

Ses maladresses langagières donnaient aussi parfois lieu à des quiproquos. En voici un assez cocasse.

Cela s'est passé à l'occasion d'une visite des parents à l'école pour la remise du bulletin de leurs enfants. Bien que les pères fussent aussi invités, la plupart du temps, c'étaient les mères qui allaient rencontrer les titulaires de classe. La nôtre ne faisait pas exception à la règle et s'acquittait consciencieusement de cette responsabilité.

Cette année-là, ma sœur aînée fréquentait l'école secondaire, et son enseignante se nommait Mlle Crépeau. La gent étudiante avait tout naturellement remplacé ce patronyme par « Mlle Crapaud » ou « la Crapaud », selon l'humeur. Redoutant qu'à cause de son accent ma mère ne dise « crapaud », ma sœur se mit en frais de la préparer une semaine à l'avance. « N'oublie pas, m'man, c'est Crépeau, pas crapaud ». Occupée à ses diverses tâches, ma mère répétait : « Oui, oui, pas crapaud. Pas crapaud. »

Le jour J, alors que ma mère s'appliquait du rouge à lèvres pour ensuite en éponger les trois quarts – de crainte sans doute d'avoir la bouche vermeille des Françaises dont elle se moquait –, ma sœur revient à la charge : « Oublie pas, m'man...
— Oui, oui, c'est pas crapaud. »

Elle part et nous restons, espérant que nos enseignants auront de bons commentaires à notre endroit. Notre aînée angoisse.

— S'il fallait qu'elle dise crapaud, ça va mal aller pour moi. La maîtresse sait que les filles l'appellent de même, mais elle ne sait pas que, moi aussi, je l'appelle crapaud.

— Ben non, voyons, m'man va faire attention, que je réplique pour lui remonter le moral.

— Ah! J'espère! Si m'man dit crapaud, la maîtresse va savoir que j'suis pas plus fine que les autres.

Un doute s'installe en nous. Est-ce que, à l'instar de «pinson» et «pinceau», «Crépeau» et «crapaud» sonneront pareils?

Pendant ce temps, notre mère patiente sur une des chaises installées dans le corridor longeant la classe de Mlle Crépeau. Elle trouve que certaines femmes s'éternisent auprès de l'enseignante, sans égard pour les autres qui attendent leur tour. Son esprit vagabonde, occupé sans doute par des articles à ajouter à la liste d'épicerie ou par le restant de rôti de porc à servir en fricassée de chasseur, ou encore par une pièce de couture à terminer, que sais-je? Les mamans ont tant de choses à l'esprit. Ses rêveries l'avaient de toute évidence menée vers un étang rempli de batraciens quand la voilà appelée. Elle s'énerve. Voyons! Quel mot ne fallait-il pas dire? Cela avait un rapport avec ces petites créatures vertes et bondissantes, coassant sur leur nénuphar… *Frog* en anglais… Ah! Oui, ça y est, c'est grenouille, mais il ne faut surtout pas le dire. Donc, ce n'est pas grenouille.

À l'instant où maman pose le pied à la maison, ma sœur la questionne.

— Pis, comment tu l'as appelée?

— Mlle Quenouille, répond-elle fièrement, au grand dam de notre aînée, qui s'alarme. J'ai pas dit grenouille, se défend ma mère.

— C'est pas grenouille, c'est crapaud.

— Il fallait dire crapaud?

— Non, Crépeau, pas crapaud.

— Y avait pas de grenouille ?

— Y a jamais eu de grenouille, c'était un crapaud ! La maîtresse va m'chicaner demain, c'est sûr ! se plaint ma sœur, au bord des larmes.

— Oh ! J'penserais pas. Elle a dit toutes sortes de bonnes choses sur toi à part que t'es un peu jasette.

— Ah oui ?

— Oui. T'as eu un beau bulletin aussi. J'suis fière de toi.

— J'ai pas hâte à demain quand même.

— J'ai pas dit crapaud, seulement quenouille, souligne ma mère.

Cette remarque nous fait réfléchir. De un, l'institutrice fera-t-elle le lien entre la quenouille et son sobriquet ? De deux, à cause de l'accent, a-t-elle bien compris le terme ?

— Est-ce qu'elle avait l'air fâchée quand t'as dit quenouille ?

— Non.

Ma sœur se calme, rassurée par la possibilité que l'enseignante n'ait pas saisi l'incroyable bond du crapaud à la grenouille dans l'esprit de notre mère.

De tragique, la situation vire au comique, et voilà ma mère, mon frère et moi pris d'un fou rire tandis que ma sœur demeure tout de même inquiète.

Le lendemain, de retour de l'école à l'heure du dîner, elle nous apprend que Mlle Crépeau n'a émis aucun commentaire à ce sujet. Et nous voilà repartis à rigoler tous ensemble de l'affaire. Pour des gens étrangers à notre contexte, cet événement ne paraît pas si comique. Mais, pour nous, c'était une belle manière de partager des moments de complicité avec notre mère.

Une autre anecdote concernant la langue française mérite d'être mentionnée. Celle-ci se rapporte à quelque chose qui s'est passé beaucoup plus tard, alors qu'à l'aube de la cinquantaine Johanna était retournée sur le marché du travail à temps partiel en tant que serveuse à la salle à manger de la Chambre de commerce du Montréal métropolitain. Dans sa jeunesse, elle avait occupé pendant quelques mois un emploi similaire, à l'Alldred Building, auprès du même genre de clientèle composée d'hommes d'affaires, d'avocats et de politiciens. En guise d'amuse-gueule, l'établissement montréalais avait l'habitude de déposer de petites corbeilles de chips maison à portée des convives. Cette fois-là, des élus du Parti québécois étaient réunis autour de la grande table ovale réservée aux groupes. Ma mère y assurait le service avec ses collègues, veillant entre autres choses à ce que ces corbeilles soient toujours remplies. À un moment donné, René Lévesque la pria de le débarrasser de cette tentation. Elle accéda à sa demande et convint gentiment qu'il s'agissait là d'une sage décision pour conserver l'appétit. Ayant noté son accent, mine de rien, il lui demanda si elle connaissait par hasard la traduction française de « chips ». La loi 101 faisait alors la une des médias. Sous l'œil mi-sceptique, mi-amusé du premier ministre, de Jacques Parizeau et de Camille Laurin, sans hésitation elle répondit « croustilles ». Agréablement surpris d'avoir douté en vain, ils rirent de bon cœur et la félicitèrent. Aujourd'hui, on trouve «chips» dans *Le Petit Robert*...

Avec quelle fierté elle nous avait rapporté cet exploit! On aurait dit une élève qui a réussi haut la main un examen difficile. Et pas devant n'importe qui! Du même coup, cette performance rachetait amplement la méprise de Mlle Quenouille.

LES SENTIERS
DE L'INTÉGRATION

Mon père occupait un poste de sergent-détective à la Ville de Montréal. Alors qu'il était encore un jeune policier en faction, il avait abordé ma mère au cours d'un feu d'artifice en offrant de la hisser sur un rempart afin qu'elle puisse voir tout à son aise. Il se débrouillait en anglais, qui devint leur langue de communication. À ce moment-là, Johanna travaillait comme cuisinière pour une riche famille anglophone de Westmount. Auparavant, forte du savoir culinaire transmis par sa mère, elle avait acquis de l'expérience chez des gens d'origine écossaise. Elle s'était plu parmi eux, fascinée par leur culture où les superstitions côtoyaient paradoxalement leur sens aiguisé des affaires.

Ses seconds employeurs étaient originaires de la Caroline du Sud, aux États-Unis, et faisaient partie du cercle restreint des magnats de l'industrie du tabac. Johanna s'était présentée à son entrevue en toute simplicité et honnêteté, sans fard, sans maquillage ni vernis à ongles, ce que la future patronne avait apprécié.

Elle raffolait de cet emploi, et tous les membres de la famille l'avaient adoptée. Johanna était plus que le cordon-bleu qui leur préparait des mets savoureux, nourrissants et bien équilibrés. Un peu la confidente de madame, un peu la grande sœur des deux garçons qui franchissaient l'adolescence et un peu la gardienne adorée de Timmy, le chien épagneul, elle avait droit à la limousine avec chauffeur pour rendre visite à ses parents à Sainte-Rose pendant ses congés.

Ma mère avait conservé de très bons souvenirs des années passées au sein de cette famille bien nantie. Elle n'y fut jamais regardée de haut ni traitée injustement, et elle nous parlait souvent de ces gens dont la richesse n'était pas que matérielle. D'ailleurs, pendant assez longtemps, elle a maintenu un lien avec eux. Quand j'ai suivi la télésérie *Downton Abbey*, je me disais qu'elle avait connu, à moindre échelle bien sûr, ce genre de rapport entre maîtres et domestiques. Elle fut leur cuisinière jusqu'à son mariage, en 1942.

Les fréquentations avec mon père s'étaient échelonnées sur une période d'environ quatre ans, dans un contexte de guerre outremer, de conscription et de rationnement. Elle était l'étrangère native du pays ennemi. Lui la voyait comme une des plus belles fleurs venues d'ailleurs et elle le regardait comme l'homme solide, issu du peuple fondateur arrivé de France, que le pays avait façonné. Il possédait une instruction supérieure à la moyenne de l'époque, lisait et s'intéressait à l'histoire. Francophile, il avait cependant jugé que l'anglais lui serait utile. Il ne s'était pas trompé.

À son contact, ma mère aborda la québécitude, s'assimilant à nos coutumes, à nos mœurs et à notre culture. Elle intégra aux siennes des recettes de cuisine refilées par sa belle-mère telles celles des tourtières, des ragoûts de pattes de porc, des fèves au lard, des beignes sans levure, du pâté chinois et des bouillis. De sa belle-sœur d'ascendance italienne, elle reçut le secret de la sauce à spaghetti qui commençait à gagner en popularité à Montréal.

Vivant dans un entourage québécois, elle enrichit son vocabulaire de mots et d'expressions qui venaient du vieux français. Dernièrement, en lisant *Marie Calumet* de Rodolphe Girard, je suis tombée sur le mot « quiouquiou ». Lorsqu'elle nous débarbouillait ou notait que nous rentrions tout sales de nos jeux à l'extérieur, elle nous qualifiait de « vrais petits quiouquious ». La sachant créative en la matière, j'ai toujours cru que c'était un mot de son invention. Or, il s'avère que, très ancien, il désigne un jeune cochon, c'est-à-dire un goret, qui, à son tour, signifie « enfant sale, malpropre ».

Avec mon père, elle a également découvert le Québec dans son entièreté. Il venait d'une région de colonisation dans les Hautes-Laurentides, plus précisément de Mont-Laurier, là où « le train du Nord a perdu le nord ».

Un jour, il nous emmena pique-niquer dans sa région natale. En été, par les dimanches de beau temps, nous avions l'habitude de sortir de la ville pour aller manger dans quelque coin tranquille. En moins d'une heure, nous trouvions l'endroit où étendre une couverture par terre pour y déguster notre casse-croûte. Un bonheur total qui, pour moi, commençait dès l'instant où ma mère préparait les sandwichs et les déposait dans une petite boîte de carton avec les thermos de lait et de café, des crudités de saison et des biscuits pour le dessert, sans oublier les verres en plastique incassable des enfants.

Ce matin-là, nous étions partis très tôt, car nous allions loin. Très loin. Du haut de mes sept ou huit ans, je n'avais aucune notion de ce très loin qui m'inspirait quelque chose d'excitant et d'extraordinaire. Je partais en exploration.

L'autoroute 15 n'existant pas encore, nous avons pris la route 11. Roule, roule, roule. Maisons, champs, villages invariablement dominés par le clocher d'une église. Roule toujours. S'espacent les maisons et se multiplient les haltes où nous pourrions pique-niquer. Toutefois, nous n'arrêtons pas et poursuivons notre chemin. Moins de champs, plus d'arbres, plus de distance entre les agglomérations. Le très loin devient très, très loin puis s'étire à n'en plus finir. L'emballement s'émousse, la faim s'amplifie. L'ennui s'installe.

Nous nous sommes arrêtés je ne sais trop où pour manger. Je me croyais enfin rendue. Eh bien non. Il restait un bout à faire.

Retour sur la banquette arrière de la voiture, le front appuyé contre la vitre. Les yeux se ferment de fatigue. Le très, très loin rime avec très, très long. Une éternité passe avant que nous empruntions un chemin de gravier.

Ah ! Ça, c'était nouveau. Et grisant. Un nuage de poussière s'élevait sur notre passage et j'entendais ricocher des cailloux contre la voiture. Disparu, le monde connu de l'asphalte et du béton.

Le fait d'être malmenée par l'état lamentable de la chaussée me donnait la certitude de participer à une expédition aventureuse. Je pénétrais dans un royaume de lacs et de rivières, de fermes et de forêts, encadrés à l'horizon par le dos fatigué des montagnes.

Mon père nous conduisit à Lac-du-Cerf, une petite municipalité de la région lauriermontoise où demeurait sa cousine Gisèle. Je suis instantanément tombée amoureuse de ce lieu et de ses habitants. En même temps que moi, ma mère découvrait des gens simples, travaillants et courageux, sortis tout droit du *Pieds nus dans l'aube* de Félix Leclerc et de sa chanson *La Drave*. Johanna fut appelée « cousine » et considérée d'emblée comme telle. Ils s'habituèrent à son accent et, elle, au leur. Un lien d'amitié se tissa au fil des étés où nous y allions en vacances. Que d'heures agréables passées en compagnie de la cousine Gisèle, que j'appelais « tante », de son mari Albéria, homme rodé aux multiples métiers de la forêt, et de leurs cinq enfants ! Que de belles aventures ! Que de plaisirs partagés !

À Lac-du-Cerf, Johanna renouait avec la fillette aux oies. Elle y retrouvait un mode de vie basé sur la nature et le rythme des saisons. Au bout de quelques années, mon père y acquit un chalet au bord de l'eau où elle put pratiquer la natation à sa guise et nous enseigner les mouvements de la brasse, sans avoir cependant recours à une planche de flottaison.

Ainsi, ma mère connut le Québec de l'arrière-pays où résonnaient la hache et la tronçonneuse et où l'odeur de la gomme d'épinette s'amalgamait à celle du foin engrangé. Elle connut le Québec des régions, dont les enjeux différaient et diffèrent encore de ceux de Montréal et des villes. Elle s'est familiarisée avec le monde des bûcherons et des cultivateurs épaulés par des femmes fortes et généreuses. Elle a constaté la présence timide de l'Amérindien. Goûté au chevreuil, à la perdrix et au lièvre. Apprêté la truite, la perchaude et le brochet. Cueilli des framboises et fait des confitures. Elle a compris la parlure des gens du terroir et n'a eu de cesse que de mettre à profit sa formidable faculté d'adaptation.

Elle a appris à lire le français en même temps que nous. La voir se pencher sur mes écrits, en discuter avec elle, percevoir sa grande fierté et sa joie de tenir un de mes livres entre ses mains représente pour moi un des plus beaux cadeaux que j'ai pu recevoir en tant qu'auteure. Je lui ai dédié *Au nom du père et du fils*, premier roman à être publié après le refus des manuscrits de deux autres romans, *Les Ailes du destin* et *Le Grand Blanc*.

Lors de sa parution, mon père était décédé depuis six ans. Il n'a donc jamais su que j'avais persisté dans l'écriture. À la maison, dès l'âge de douze ans, je me cachais au sous-sol pour noircir des pages et des pages que seule Monique pouvait lire. Il le savait. Lui-même maniait fort bien la plume. Longtemps après son décès, une de ses sœurs a révélé qu'il écrivait dans son enfance de petites intrigues policières que sa mère s'empressait de jeter au feu, clamant que c'était là une perte de temps et qu'il ne ferait rien de bon avec ça. J'en fus navrée. Il aurait aimé mes ouvrages, et les voir signés de son patronyme aurait été pour lui une douce revanche du destin.

Retour aux sources

En 1986, j'ai remporté le prix France-Québec/ Jean Hamelin pour le roman *Le Sorcier*. En tant que lauréate, je bénéficiais d'un séjour d'une semaine à Paris. Ma mère eut alors l'idée de m'accompagner et d'aller passer par la suite une semaine à Bexbach, chez sa sœur Hélène. Plutôt que de faire partie du voyage, Gaston, mon conjoint, a préféré céder sa place à notre fille afin que les trois générations y soient représentées.

Nous avons vécu une semaine de rêve à Paris, où nous étions prises en charge par le consulat de France et par l'Office franco-québécois. Réceptions, visites personnalisées, de quoi flotter sur un nuage, surtout pour une auteure dont les manuscrits s'étaient vus largement refusés.

Une semaine riche en émotions attendait ensuite ma mère à Bexbach. Nous nous y sommes rendues en train. Cela faisait cinquante-trois ans qu'elle avait quitté l'Europe et plus de quarante ans qu'elle avait vu sa sœur aînée. Elles se sont sauté dans les bras, riant, parlant, se regardant, se redessinant à travers les rides, se retrouvant à travers les âges. Peu après, ma mère m'a confié qu'à ce moment-là elle avait senti le plancher bouger sous ses pieds. C'est tout dire.

Ma fille et moi étions plongées dans un milieu germanophone. J'utilisais de mon mieux mes quelques rudiments d'allemand et j'employais l'anglais avec mon cousin Dieter, le fils d'Hélène. De son côté, ma fille s'amusait sans problème avec les deux garçons de celui-ci, preuve que la barrière de la langue n'est pas aussi insurmontable pour les enfants que pour les adultes.

Hélène avait organisé une rencontre amicale réunissant les anciennes camarades de classe, voisines et amies de ma mère. La petite Émilie n'était malheureusement pas du nombre, mais une bonne douzaine de femmes avaient été conviées pour le souper. Au fur et à mesure qu'elles arrivaient, Hélène faisait les présentations. À force de traduire à notre intention, ma mère s'est mise à passer d'une langue à l'autre sans s'en apercevoir. Ainsi, une phrase commencée en allemand se terminait en français ou en anglais, de sorte que l'interlocutrice demeurait en plan, un gros point d'interrogation dans la figure. J'avertissais alors ma mère, qui reprenait en allemand le bout incompris.

À table, une dame se leva avant le repas pour lire un mot de bienvenue écrit sous forme de poème. Je me souviens de *Hurra für Johanna von Amerika!* («Hourra pour Johanna d'Amérique!») Le ton avait quelque chose de triomphant et traduisait le célèbre rêve américain symbolisé par la statue de la Liberté. *Amerika* sonnait comme réussite et richesse. Comme un eldorado de liberté, de possibilités d'aller loin et de voir grand.

Le Canada se voyait éclipsé par l'*Amerika*. L'Amérique, le pays du recommencement. L'Amérique, louangée et espérée, confondue avec les États-Unis. *Amerika!* Un rêve que ma mère avait atteint. Dans la manière dont ces femmes la regardaient, je percevais une sorte d'admiration à l'endroit de celle qui revenait au village d'où elles n'étaient jamais sorties.

Cette attitude m'aidait à comprendre ce qu'avait dû représenter l'Amérique pour Joseph et sa famille dans une Allemagne en proie à une crise économique et à la montée du pouvoir nazi. Tapissant les murs des bureaux de l'immigration, des invitations, des affiches et des prospectus stimulaient l'imagination. De toute évidence, Werner, le benjamin, avait contemplé une illustration où figuraient des cow-boys et des Indiens. Quelle déception pour lui de n'en apercevoir aucun à leur arrivée au port de Québec! Où étaient donc ces Indiens montés sur des chevaux sauvages et coiffés de leur panache de plumes? Sans doute les verrait-il plus loin, à l'extérieur de la ville, là où son père avait acheté une terre…

Évidemment, il ne trouva à Sainte-Rose aucun fier guerrier apache montant un étalon pinto. Par bonheur, il eut plus tard l'occasion de mener les chevaux de la ferme. Il y en avait deux: Tom et Lola. Calme, docile et lourd, le vieux Tom avait conquis Otto, tandis que la fougueuse Lola avait gagné d'emblée le cœur de Werner. On aurait dit que chacun des chevaux avait adopté un maître à sa ressemblance. Ainsi, quand Otto attelait Tom pour aller faire des commissions au village, on ne savait pas à quelle heure il reviendrait. Ni l'homme ni la bête n'étaient pressés. Ils partaient au trot, revenaient au pas. Tout le contraire de Werner, qui n'hésitait pas à pousser Lola au galop. Pas question de lésiner. Un cheval, c'est fait pour se déplacer rapidement. Avait-on besoin d'un article dans l'immédiat, d'aller chercher quelqu'un à la gare ? En un rien de temps, le garçon attelait la jument et hop ! sur les routes de terre en soulevant la poussière. Retour avec les cheveux ébouriffés, un grand sourire aux lèvres et les yeux pleins de la griserie d'un adolescent qui, en cours de route, s'est imaginé sur les plaines du Far West. Il montait parfois à cru sa Lola, l'utilisant comme cheval de selle. Un jour, il coiffa avec fierté un chapeau de cow-boy et devint dans son imaginaire un fabuleux personnage western.

Étant le plus jeune, il s'adapta rapidement, apprenant le québécois par immersion et l'anglais auprès d'Agnès et de Johanna, qui venaient à la ferme pendant leurs congés. Il voulait tout savoir, tout apprendre, tout expérimenter de cette nouvelle vie qui s'offrait à lui ainsi que des coutumes et de la manière d'être de la société à laquelle il allait s'intégrer.

Une photo le représente vêtu en cow-boy tenant un cheval par la bride. Il a vraiment l'air épanoui et ressemble physiquement au célèbre Roy Roger, vedette d'une émission fort populaire dans les années 1960. Je garde de lui le souvenir d'un homme plaisant qui répandait la joie de vivre. Quand il arrivait chez *Oma* à Noël, c'était comme une lumière de plus au sapin décoré. Sa venue revêtait quelque chose de spécial. Et ce spécial semblait être lié à ce qu'il avait été lors de sa naissance, au lendemain de la guerre. Une éclaircie. Une aube.

Je sentais que son apparition ajoutait le charme d'une note, d'une couleur à l'atmosphère. J'aimais le voir, même si ce n'était pas pour longtemps. Il était auréolé de sa réputation d'excellent pâtissier. Je connaissais son histoire d'enfant qui rêvait de manger deux morceaux de gâteau à la fois et cela me le rendait d'autant plus sympathique. Ma mère nous mentionnait qu'il n'utilisait que des ingrédients de premier choix dans la confection de ses pâtisseries. Beurre, œufs, farine, chocolat devaient être d'excellente qualité. Pendant plusieurs années, il a tenu une pâtisserie à Montréal avant d'en ouvrir une en Ontario, donnant la possibilité de déguster sur place les délices de ses fourneaux accompagnées de thé ou de café.

Je l'associais à la bonne odeur de la cuisson de la pâte et au crémage à gâteaux. Il avait appris le métier en devenant apprenti à Montréal et avait suivi plusieurs stages afin de se perfectionner, élargissant l'éventail de ses produits. Aux côtés des pièces classiques les plus prisées s'alignaient ses propres créations qui, dans son patelin, devinrent à leur tour des classiques. Je conserve précieusement sa recette de boules au chocolat de Noël. Je n'ai jamais réussi à réaliser des boules parfaites, mais elles demeurent délicieuses et me rappellent le petit frère de ma maman.

En écrivant ces dernières lignes, les termes *icing* et *cookies* ont refait surface. Inévitablement, mon langage d'enfant était truffé de mots anglais. Ainsi, *Oma* servait des *cookies* à Noël et mon oncle Werner s'était distingué en façonnant une rose parfaite avec du *icing* lorsqu'il travaillait à la décoration des gâteaux. Ma mère semblait aussi impressionnée que moi par cette rose-là, elle qui concoctait un gâteau personnalisé à chacun de nos anniversaires.

Elle savait y mettre du merveilleux et du mystère. Seuls les deux autres enfants avaient le droit d'assister à la décoration. À même un sac en papier brun, elle confectionnait d'abord des cornets fermés par des épingles dont le bout pointu était taillé en forme de douille. L'*icing* était réparti dans trois bols, un grand pour recouvrir le gâteau au complet, deux petits pour les motifs décoratifs. Elle délayait ensuite des couleurs dans chacun d'eux. La couche de fond était appliquée au couteau. Puis, elle remplissait ses cornets de papier avec l'*icing* des petits bols et laissait libre cours à son imagination en dessinant des fleurs, des feuilles, des rosettes, des arabesques, des figures géométriques et, bien sûr, l'inscription « Bonne fête » à l'enfant concerné.

Nous la regardions faire, y allant de nos commentaires, heureux de partager avec elle cette complicité dans la préparation d'un événement joyeux et de pouvoir, à la fin, lécher les bols, les ustensiles et les cornets déroulés. Elle s'appliquait avec tendresse, et nous savions qu'il en serait ainsi lorsque, à notre tour, nous serions tenus à l'écart de la cuisine en ce jour spécial.

Toute minime qu'elle puisse paraître, cette joie-là gonflait mon cœur d'enfant au maximum.

De chaque côté de la porte de la cuisine régnait une excitation palpable soit dans la préparation de la surprise, soit dans l'attente de celle-ci. Personnellement, je tentais d'imaginer ce gâteau dont je ne connaissais que le nombre de bougies à souffler. J'entendais des oh!, des ah!, des chut!, des rires étouffés et finalement des bruits d'ustensiles indiquant que l'œuvre était terminée. Et que les deux autres se régalaient avec le restant d'*icing*.

Ce n'est qu'après le souper qu'on pouvait enfin admirer notre gâteau. On était d'abord invité à quitter la pièce. Quand on y revenait, il brillait de ses bougies allumées tandis qu'on nous chantait «Bonne fête».

Bien plus tard, à l'intention de ses deux petites-filles, ma mère a ajouté un chant allemand que nous ignorions: *Hase hat Geburtstag, tra, la, la, la, la. Hase hat Geburtstag, oup, sa, sa.* «C'est l'anniversaire du lièvre, tra, la, la, la, la…» Je soupçonne qu'elle nous l'ait toujours fredonné dans son for intérieur.

LE PREMIER HIVER

J'ignore comment Joseph et Margaretha s'étaient imaginé le Canada avant d'émigrer. Ils désiraient quitter une Allemagne dont ils appréhendaient la dérive et ils recherchaient la paix avant tout. Ils avaient sans aucun doute la vision d'un pays immense puisque, en achetant d'avance sa terre, Joseph avait été à même de constater que celle-ci pouvait contenir moult fois son lopin de Bexbach. J'ai toujours tenté de me figurer ce qu'il a pu ressentir devant cette vastitude à son arrivée, lui qui avait passé une bonne partie de sa vie à peiner sous terre, dans une mine de charbon. Était-ce trop grand, à vous étourdir ? Trop lumineux, à vous faire cligner des yeux ? Tout d'un coup, il y avait tant de distance entre les voisins et eux, et tant de différences aussi. Quels sentiments l'animaient ? Éprouvait-il un vertige ou une libération ? A-t-il été assailli par la crainte d'avoir pris une mauvaise décision ? Personnellement, si je me retrouvais dans un tout autre environnement que celui dans lequel j'ai évolué depuis une cinquantaine d'années, je me poserais peut-être la question : « Est-ce bien ma place, ici ? »

Et que devait penser la pragmatique Margaretha en emménageant dans une maison bâtie en
fonction d'un mode de vie étranger ? Au Québec,
les animaux séjournaient dans l'étable et les moissons étaient stockées dans la grange. Il y avait aussi
des poulaillers, des chèdes à bois, des remises, des
hangars ; des clôtures séparant les champs ; des
vaches, des cochons, des dindes et des poules, mais
ni chèvre ni oie ; des potagers vite saisis par le gel.
Il y avait aussi des vêtements à n'en plus finir pour
les quatre saisons et un poêle à bois trônant dans la
cuisine. Il fallait vite s'en faire un allié, car l'hiver
approchait.

Margaretha devait apprendre à dompter la bête
de feu dans sa cage de fonte afin qu'elle puisse
réchauffer la maisonnée et cuire les aliments à sa
convenance. De quel bois nourrissait-elle le poêle
pour une petite attisée ? Ou pour gruger les bûches
de ses flammes pendant toute une nuit ? À quoi
équivalait une poche de charbon relativement à
une corde de bois ? Il fallait connaître la qualité
et les spécificités des différentes essences. J'ai cru
comprendre que le voisin *J'crée ben* leur avait donné
un coup de main en la matière.

Bien qu'ils aient été avertis de la rigueur de notre
climat, ils durent faire l'expérience de l'hiver pour
avoir réellement une idée de ses extrêmes et de sa
longueur. Quand le froid et la neige commencèrent
à sévir, Margaretha se réfugia près du poêle, se promettant de sortir lorsque la température se radou-
cirait. Passèrent des jours gris, des jours de vent et
de tempête. Tombèrent des bordées de neige qui
obligeaient au maniement de la pelle.

Arriva le premier Noël. Comment fut-il célébré, alors que le souvenir des portes du salon qui s'ouvraient sur la féerie longuement préparée leur rappelait Hélène, demeurée là-bas avec son mari? Ils venaient à peine d'arriver. J'imagine des étreintes silencieuses, des sourires vacillants, des chants émus, quelques gâteries et, pourquoi pas, un humble sapin qu'on aurait bûché au bout de la terre, afin de poursuivre la tradition.

S'accumulaient sans relâche des congères de chaque côté du chemin où glissaient des traîneaux tirés par des chevaux munis de fers à crampons. S'étiraient les longues nuits, Margaretha collée contre son Joseph, qui avait passé tant d'autres nuits froides sans elle dans la hutte des paysans russes. Il la couvrait de sa chaleur, elle, de la sienne. Ensemble, ils traversaient l'hiver. Ensemble, avec et pour leurs enfants, ils maintenaient le cap sur leurs espérances.

Vint un jour où Margaretha fut éblouie par le soleil à sa fenêtre. Elle n'avait jamais vu un ciel si bleu ni tant de lumière qui saupoudrait d'étoiles les champs de neige. L'heure de sortir était venue. Elle pria Otto d'atteler le cheval pour une promenade. Il lui fit remarquer qu'en raison d'un froid intensc il valait peut-être mieux la reporter. Pas question de bouder un ciel si beau. Elle n'aurait qu'à s'habiller en conséquence et à déposer des briques chaudes à ses pieds, comme il était d'usage.

Elle enfila manteau et bottes, noua son fichu de laine, enroula son foulard autour du cou et glissa ses habiles mains de couturière dans de grosses mitaines. Ainsi vêtue à la canadienne, elle ne craignait rien. Otto attela Tom et le mena devant la porte. En sortant, elle a dû sentir que ses narines collaient ensemble et que la neige durcie crissait sous ses pas. Ces avertissements ne freinèrent en rien sa détermination à s'acclimater au pays. Elle monta auprès de son fils et, les deux pieds sur les briques, elle entreprit sa balade.

Au petit trot s'en alla le cheval au son des grelots, mais le traîneau ne dévala pas joyeusement les coteaux puisque leur déplacement dans un froid sibérien eut tôt fait de couper le souffle de Margaretha. La voyant respirer à grand-peine, Otto rebroussa vite chemin et dut la porter dans ses bras jusqu'à son lit, ses poumons sifflant étrangement. Elle s'en remit et en tira une leçon : celle de se méfier des belles journées claires d'hiver où le mercure peut descendre très bas sous zéro degré Celsius.

Habitués à un climat tempéré, mes grands-parents ne prisèrent pas nos hivers. Par contre, leurs enfants s'y sont adaptés et ont même su en profiter. Entre autres, mes tantes Agnès et Gertrude pratiquaient le ski alpin sur le mont Royal et au mont Tremblant, lors d'excursions d'un jour, en train, à partir de Montréal.

SOMBRES HORIZONS

Probablement encouragé par les dimensions de sa terre, Joseph eut l'idée de se lancer dans l'élevage de poulets sur une grande échelle, abandonnant ainsi le mode de paysannerie qu'il avait connu jusqu'alors. Malgré son caractère audacieux, l'aventure aurait pu réussir n'eût été de la crise survenue à la suite du krach boursier. Au Québec, le gouvernement avait établi le Secours direct afin de pallier un taux de chômage au-delà de 25 %, et il encourageait le retour à la colonisation, nommément en Abitibi. Le prix des poulets chuta brusquement. Acculé à la faillite, Joseph dut vendre sa ferme. J'ignore pendant combien de temps au juste ils y ont vécu, mais je sais qu'aux alentours de 1939 ils avaient déménagé à Montréal, dans le quartier Ahuntsic, à deux pâtés de maison de la demeure où, plus de cinquante ans plus tard, Johanna allait finir ses jours. Le destin a ainsi voulu que les obsèques de Joseph et de sa «fleur de mars» soient célébrées dans la même église.

Ma mère m'a montré leur ancienne maison. Si elle s'élève aujourd'hui dans un quartier assez huppé, elle se situait à l'époque dans une zone plutôt rurale. Il y avait encore des champs à proximité ainsi qu'un abri pour une vache et quelques poules dans leur cour. Les membres de la famille n'y habitaient pas tous, mais tous contribuaient à ce qu'elle se relève de ce coup dur. Ils se retrouvaient ainsi plus souvent ensemble et appréciaient d'autant plus les liens familiaux que le spectre de la guerre se profilait à l'horizon.

Une guerre que Hitler planifiait depuis longtemps et que Joseph avait pressentie bien avant certains dirigeants. Lors d'une visite au maître de l'Allemagne en 1937, Mackenzie King, premier ministre du Canada, avait consigné dans son journal que Hitler pourrait bien un jour être vu comme un des sauveurs du monde. Rien de moins. Aveuglement total devant la splendeur déployée devant ses yeux. Il n'avait vu que l'efficacité du chancelier qui travaillait à la grandeur de son pays. *Deutschland über alles.* « L'Allemagne au-dessus de tout. » Et par-dessus ses voisins, qu'elle commençait à bousculer. « Alors, comme l'écrivit Churchill, s'avança à grandes enjambées un fou au génie féroce, dépositaire et incarnation des haines les plus virulentes qui jamais dévorèrent le cœur humain. »

En mars 1938, les troupes hitlériennes envahirent l'Autriche, qui se vit annexée à l'Allemagne. Un an plus tard, en mars 1939, les soldats allemands entrèrent en Tchécoslovaquie bien que, six mois plus tôt, Hitler eût signé les Accords de Munich mettant fin au conflit germano-tchèque. Ces accords furent contresignés par Neville Chamberlain, premier ministre du Royaume-Uni et Daladier, chef du gouvernement français. «Cette fois, c'est la paix notre vie durant», s'était réjoui Chamberlain au retour de la capitale bavaroise, tandis que, au Bourget, Daladier défilait sous les acclamations «Victoire! La paix est gagnée!». Ils furent leurrés et demeurèrent cois devant cette invasion du Führer.

Au cours de cet été-là, Hélène était venue leur rendre visite avec son nouveau bébé. Compte tenu de la situation géopolitique qui prévalait en Europe, il me paraît plausible que son mari ait ainsi voulu assurer sa sécurité et celle de leur fils. Hélène se trouvait donc en terre canadienne lorsque, le 1er septembre 1939, les troupes de Hitler s'emparèrent de la Pologne. Le 3 de ce mois, la France et l'Angleterre déclarèrent la guerre à l'Allemagne et, le 10, le Canada fit de même. Ce jour-là, bien qu'ayant combattu les nazis avec leurs maigres moyens, Joseph et les siens devinrent en principe des «ennemis de l'intérieur».

Une propagande de suspicion fit son apparition. «Des oreilles vous écoutent», rappelait-on dans les usines, faisant allusion à la cinquième colonne, une organisation secrète composée d'espions au service de l'ennemi. À cause de Mussolini, allié du Führer, vingt-cinq mille Montréalais d'origine italienne durent s'enregistrer et faire prendre leurs empreintes digitales, tandis qu'à l'entrée en guerre du Japon, en décembre 1941, les Canadiens d'origine japonaise furent privés de leurs biens et de leurs droits. À ma connaissance, le gouvernement n'appliqua pas officiellement de telles mesures à l'égard des immigrés en provenance d'Allemagne.

Joseph et sa famille subirent des regards de travers, des refus d'être servis dans les magasins et des commentaires désobligeants, ce qui, comparativement, était un moindre mal.

Au début du conflit, les besoins requis pour équiper les forces armées et approvisionner l'Angleterre étaient tellement criants que cela mit fin au chômage au Canada. La production agricole augmenta de 40 %, et l'on ouvrit des usines produisant du matériel militaire tels cartouches, obus, explosifs, carabines, canons, blindés de combat, véhicules, navires, embarcations, avions, etc. Pour parvenir à manufacturer ces produits, les femmes furent appelées à délaisser le foyer et à travailler huit à douze heures par jour.

Le mot « nazi » ne traduisait pas encore sa portée véritable. Dérivé de la prononciation allemande des deux premières syllabes du parti *nati*onal-socialiste (le t se prononçant z), il fut utilisé au cours des élections provinciales de 1939 par le Parti libéral, qui rebaptisa d'« Union *nazi*onale » le Parti conservateur de Maurice Duplessis. Bien que les deux partis se fussent prononcés contre l'éventualité de l'enrôlement obligatoire des Canadiens pour aller combattre outremer, le chef du Parti libéral, Adélard Godbout, y alla de la promesse solennelle de démissionner advenant un tel cas. Il fut élu et, naturellement, ne démissionna point lorsque, en juin 1940, le service militaire obligatoire fut établi sur tout le territoire canadien. Hommes et femmes entre seize et soixante ans durent s'inscrire aux rôles de l'armée. Persuadé que cela mènerait à la conscription, fidèle à sa parole, Camillien Houde, le maire de Montréal, recommanda de n'en rien faire. Il fut arrêté et demeura incarcéré pendant quatre ans dans un camp de concentration en Ontario.

Comme on l'avait appréhendé, la conscription eut lieu en 1942. En même temps apparut le carnet de rationnement, qui permettait à chaque citoyen de se procurer, au moyen d'un coupon, une quantité exacte d'un produit spécifique dans les épiceries. Chacun avait droit à 250 grammes de sucre et à 1 kilo de viande par semaine. Les quantités d'essence étaient limitées et on récupérait les produits domestiques, entre autres la graisse et les os, qu'on qualifiait d'arme secrète sur les affiches du ministère des Services nationaux de guerre. « Aidez à écraser l'Axe », y lisait-on. La graisse servait à fabriquer de la glycérine, qui, elle, servait à fabriquer des explosifs, qui, à leur tour, détruisaient les sous-marins, les chars et les avions de l'ennemi. Un prix était fixé pour cette graisse et ces os qu'on rapportait à un boucher ou au Comité de récupération municipale.

Ici, il y avait des restrictions, des privations, des interdictions, mais, sur leur propre territoire, les gens n'ont pas souffert dans la chair et dans le sang, ni connu la peur nouant les tripes, ni frémi au sifflement des bombes. Cela se passait de l'autre côté de l'Atlantique. La guerre tant redoutée par Joseph y faisait rage. Ici, ils étaient à l'abri, Hélène et son garçon demeurant avec eux. En bon *Opa*, Joseph chérissait le bambin, qui apprenait le québécois en s'amusant avec des voisins. Et, en bonne *Oma*, Margaretha lui confectionnait des vêtements neufs avec du tissu récupéré. Ils étaient soulagés d'être ensemble, incapables cependant d'oublier le chaos meurtrier qui sévissait dans les Vieux Pays.

Quand Hélène put retourner en Allemagne, elle dut se rendre d'urgence au chevet de son mari. À l'instar des habitants du Saarland, Beno avait été expédié sur le front russe, où il avait contracté la fièvre jaune. L'espoir de la revoir l'avait sans doute maintenu en vie, car il mourut en sa présence. Hélène préféra rester au pays où leur amour et leur fils étaient nés.

CETTE GUERRE-LÀ

La guerre était finie. Doublée d'un génocide, elle marquait l'Allemagne du fer rouge de la croix gammée. Le « fou au génie féroce » l'avait entraînée dans sa chute. La lettre H de Hitler rimait désormais avec haine, holocauste, horreur et hideur. Quel pays avait donc engendré ce monstre ? N'était-ce pas celui de Bach et de Beethoven ? De Gœthe, de Kant et de Gutenberg, inventeur de l'imprimerie typographique ? N'était-ce pas le pays des Joseph et des Johanna de ce monde, gens sans histoire aspirant au simple bonheur de jouir de l'existence ?

N'avait-il pas aussi été le pays d'Albert Schweitzer, né en 1875 dans une région de l'Alsace alors rattachée à l'Allemagne et voisine du Saarland de ma mère ? Pasteur, philosophe, organiste de renom, il fut professeur à l'université de Strasbourg avant d'étudier finalement la médecine et de fonder l'hôpital de Lambaréné, au Gabon. Considéré comme suspect lors de la guerre de 1914-1918, il fut expulsé de cette colonie française pour être incarcéré au camp de Saint-Rémy-de-Provence avec d'autres Alsaciens. Tout au long de son existence, cet humaniste s'employa à prôner et à mettre en pratique le respect de la vie. En 1952, il reçut le prix Nobel de la paix. Au dévoilement de la barbarie hitlérienne, sans doute s'est-il posé la question que je me pose chaque fois que je regarde des documentaires montrant les atrocités de la Seconde Guerre mondiale. Comment a-t-on pu en arriver à une telle inhumanité?

Enfant, je n'aurais pu supporter les images de la découverte des camps de concentration et d'extermination massive. Elles auraient peuplé mes nuits de cauchemars et fait de mes jours une continuelle interrogation. Aujourd'hui encore, leur visionnement m'ébranle. Elles ont quelque chose d'irréel, ces images de cadavres squelettiques roulant pêle-mêle sous la poussée d'un bulldozer. Chacun d'eux fut jadis un être pétri d'amour et d'espérances. Chacun d'eux eut jadis une histoire dont, hélas pour tous, la fin fut écrite par la main des bourreaux.

Et c'est cet angle-là, celui de l'holocauste, qui rend cette guerre si hors d'entendement, car elle ne se résume pas à des combats de soldats contre soldats. Comment en est-on arrivé à calculer la haine? À la planifier? À l'expérimenter? À la doser en quantité létale de gaz à inhaler?

Indiscutablement, cette guerre a souillé de honte le peuple allemand. Et, indirectement, Johanna et tous les minuscules myosotis du grand jardin du Créateur. Il fut un temps où moi-même je préférais passer sous silence mon ascendance maternelle. Pourtant, cette guerre n'a pas été celle de ma mère. Ni la mienne.

L'utilisation de la bombe atomique est un autre aspect de la Seconde Guerre mondiale qui l'a rendue aussi particulière que terrifiante. Rapidité. Efficacité. D'un seul coup, avec une seule bombe, 150 000 victimes à Hiroshima, dont 80 000 morts. Trois jours plus tard, à Nagasaki, la moitié des 80 000 victimes ont perdu la vie.

On a pulvérisé, on a carbonisé, on a agonisé, à long ou à petit feu. Souffle destructeur arrachant la vie sur son passage, contaminant l'air, l'eau, les mondes animal et végétal. Pluies radioactives polluant le sol à très long terme de ses résidus. Voilà le péril pressenti et dénoncé conjointement dès 1953 par le Dr Schweitzer et Einstein.

Il existe aujourd'hui sur notre planète un arsenal nucléaire des milliers de fois plus puissant que les bombes larguées les 6 et 9 août 1945. Il y a là de quoi faire disparaître l'espèce humaine et s'étendre sur la planète une contamination massive.

Y aura-t-il un autre « fou au génie féroce » pour déclencher l'Apocalypse ?

En souvenir de Joseph

Lors du retour de ma mère en Allemagne, pilotées par tante Hélène qui s'était occupée de toute la logistique, nous sommes allées dans les Alpes bavaroises. Nous avons logé à Füssen, une petite ville ancienne où subsistent des vestiges de la voie pavée romaine et qui est une station touristique très prisée. Majoritairement blanches, plusieurs maisons sont couvertes de peintures en trompe-l'œil. L'une d'elles nous donnait l'illusion d'un ouvrage de maçonnerie, une autre, d'une horloge, et cette autre encore, la surprenante conviction d'apercevoir une femme à sa fenêtre, saluant de la main quelque voyageur au loin.

Ma fille et moi avions l'impression de nous promener dans un décor de théâtre. En entrant dans une église, nous avons été étonnées de faire face à une grande statue du Diable. Sabots de chèvre, cornes et queue fourchue, le personnage nous glaçait par la méchanceté de son expression. Sa présence n'était-elle pas incongrue dans un lieu consacré au bon Dieu ? Pas vraiment, si l'on se situe dans le contexte religieux d'antan. Étant donné que ce prince des ténèbres représentait le mal et l'horrible châtiment réservé dans l'au-delà à qui le commettait, sa materialisation visait à convaincre les pauvres mortels de pratiquer le bien de leur vivant.

Pour ma fille, qui n'avait aucune notion de l'enfer, la représentation du Malin n'avait pas la même résonance que pour moi, ni que pour ma mère et sa sœur. À des degrés divers, ce bourreau de l'expiation éternelle avait instauré la peur dans nos jeunes esprits, car les scénarios d'épouvante à son sujet avaient été déclarés véridiques et véhiculés par des personnes en position d'autorité. Cet être maléfique s'emparait des pécheurs à leur mort et les précipitait dans son infernal brasier au-dessus duquel une immense aiguille se balançait inexorablement entre les mots «toujours» et «jamais». «Toujours rester, jamais sortir», indiquait-elle. Comme la plupart des gens de ma génération, ma mère avait largué le Diable. Cependant, au cours de sa maladie, *der Teufel* s'aventurait à la poursuivre dans ses cauchemars. Quel intraitable geôlier que l'inconscient, qui libère un jour du cachot ce que notre raison y avait enfermé!

La vue de cette horrible statue avait éveillé l'imaginaire de mon enfance, qui a pris vie le lendemain lorsque nous avons visité les deux châteaux de Louis II de Bavière.

L'histoire de ce roi est digne d'une tragédie romantique. De la lignée de la famille de Wittelsbach qui régna sur la Bavière de 1180 à 1918, il accéda au trône à l'âge de dix-huit ans. Idéaliste, solitaire, extravagant, il a fait bâtir de fantastiques châteaux inspirés de la musique de Wagner, dont il était le mécène. Déclaré fou, il fut interné et mourut noyé dans d'étranges circonstances. Suicide? Meurtre? Mystère.

Neuschwanstein, le plus célèbre de ses châteaux, aurait influencé la conception de celui qui figure au début des émissions télévisées de Walt Disney. De style néo-féodal et perché sur un éperon rocheux, il s'élève dans le paysage des Alpes. Il correspondait exactement à mon idée d'un château merveilleux avec ses créneaux, ses ailes, ses tours et ses tourelles. L'illustration disneyenne d'une fée Clochette le saupoudrant d'étoiles magiques y jouait sans contredit un rôle car, en en franchissant le portail, je me sentais comme Cendrillon qu'un carrosse doré venait de déposer.

De retour à Füssen, nous nous sommes rendues à l'étang des cygnes. Familiers pour Johanna et sa sœur, qui les côtoyaient les beaux dimanches, les cygnes étaient exotiques pour ma fille et moi. Enfin, nous pouvions en voir de vrais de vrais, en chair, en os et en plumes! Le conte du *Vilain Petit Canard* s'incarnait dans ces oiseaux magnifiques, qui semblaient conscients de leur majesté et de l'importance qu'on leur accorde dans la culture allemande. D'ailleurs, le mot *Schwan*, qui signifie « cygne », se retrouve dans les noms des deux châteaux de l'endroit, soit Neu*schwan*stein et Hohen*schwang*au.

Conquise par leur blanche et paisible pureté, j'ai eu l'idée géniale d'aller les nourrir le lendemain. Accompagnée de ma fille, nous avons lancé à l'un d'eux quelques croûtes prélevées sur notre déjeuner. Il avala le tout d'un trait et en réclama d'autres, mais nous n'en avions plus. Le cou bas et l'allure menaçante, il s'avança alors en feulant sa gourmande colère. Je me rappelai l'oie qui avait attaqué la petite voisine de Johanna et j'enjoignis ma fille de reculer doucement, sans manifester de peur. Une fois hors de danger, comme je regrettais de ne pas connaître le langage des cygnes... pour faire savoir à ce vilain que, tout superbe qu'il fût, il représentait chez nous la marque de papier hygiénique *White Swan*! Et gna pour sa majesté! Morale de l'histoire: ne pas se fier à l'apparence inoffensive du blanc volatile.

En déambulant dans Füssen, au hasard d'une rue, nous sommes entrées dans une boutique de cadeaux. Et là, ma mère est demeurée en contemplation devant une icône au mur. Elle a échangé quelques mots avec sa sœur et m'a appris que l'image évoquait celle que leur père avait rapportée, mais dans un format beaucoup plus grand. Et en beaucoup trop cher, a précisé Hélène après s'être informée du prix. Constatant que malgré tout j'avais l'intention de l'acquérir, ma tante m'a signalé que cette œuvre peinte sur bois serait encombrante et ajouterait du poids à mes bagages. Ma mère a opiné dans ce sens, bien que l'éclat de ses yeux ait trahi qu'elle s'y résignait à regret. Nous sommes sorties du magasin, mais l'idée a cheminé en moi. Quelques heures plus tard, accompagnée de ma fille, je suis retournée acheter l'icône et nous la lui avons offerte.

À Johanna, la «fleur de mars», en souvenir de son père. Moment émouvant où les paroles étaient superflues.

J'ai trimballé cette pièce jusqu'au Québec, et jamais bagages ne m'ont paru plus légers.

Dans la chambre de ma mère, l'icône a été installée sur le mur en face de son lit. Avant de se coucher, elle la regardait. À son réveil, elle la voyait. Et peut-être la priait-elle d'une certaine manière. À sa mort, l'icône veillait. Aujourd'hui, elle occupe le mur en face de mon propre lit.

Elle me raconte une histoire vieille d'un siècle qui me relie à un soldat blessé, recueilli et soigné par des paysans du camp ennemi. Elle me parle de la flamme et de la lumière qui maintenaient la vie dans l'humble hutte et qui jamais ne devraient s'éteindre.

QUAND CHANTENT LES MYOSOTIS

L'image que je conserve de ma mère lors de ce voyage est celle d'une femme sans âge, passant inconsciemment d'une langue à l'autre, et de son enfance à sa vieillesse. À la fois actrice et spectatrice de sa propre existence, elle a vogué de souvenirs en retrouvailles. Là, sa vieille école encore fréquentée par les enfants de Bexbach, dont le fils de son neveu ; là, la gare de trains tout aussi et même peut-être plus active qu'autrefois ; là, la mine où avait travaillé son père et au fond de laquelle nous aurions pu descendre pendant la saison touristique ; là encore, la maison de Joseph. « Sa » maison, maintenant habitée par des étrangers. Nous étions demeurées devant, n'osant frapper à la porte. Elle m'a expliqué les changements apportés à l'extérieur et j'ai senti qu'elle n'avait aucune envie de constater ceux qui avaient été apportés à l'intérieur. On n'entreposait plus le foin au grenier et la cave n'abritait plus les animaux. Ce mode de vie était révolu depuis longtemps, et son cher ruisseau aux oies se résumait à un filet d'eau passant sous un pont.

Les jours ont passé si vite. Tante Hélène avait organisé des tas d'activités, et je reconnaissais en elle la jeune fille qui avait monté la fameuse pièce de théâtre pendant laquelle la scène s'était écroulée. Parents et amis avaient défilé, émus, heureux de revoir Johanna et déjà chagrinés par le *Auf Wiedersehen* à venir. Pour ma part, j'ai pris grand plaisir à échanger avec mon cousin Dieter, qui tenait un restaurant. Il se souvenait de quelques mots de français mais s'exprimait plus aisément en anglais. La spécialité de sa maison? La pizza. Cette trahison à la saucisse-choucroute visait au début à satisfaire une clientèle composée de soldats américains cantonnés dans une base militaire tout près. Cette nouveauté fit vite fureur et assura la fréquentation assidue de son établissement. Il avait appris les secrets de ce célèbre mets italien dans le cadre d'un emploi au Piazza Tomasso, un restaurant réputé en la matière sur le boulevard Décarie à Montréal. Un genre de cours de perfectionnement à l'étranger défrayé par tante Hélène pour ses dix-huit ans. Lors de son séjour, Dieter était venu nous visiter, ce qui m'avait permis de rencontrer enfin mon cousin en personne. Accompagnées d'excellentes bières du terroir, ces pizzas étaient un vrai régal.

Parmi les sorties effectuées, nous sommes allées à la messe. Bien que ma mère ait cessé d'y assister, j'appréhendais qu'elle y soit ébranlée par une forte charge émotive. Elle avait été baptisée dans cette église, et tout ce qui touchait au sacré et à l'essence de l'âme s'y était déroulé : sa première communion, la piété de l'oncle Jacob, le mariage d'Hélène, les funérailles, la chorale où elle chantait en solo, l'odeur de l'encens qui faisait invariablement s'évanouir sa jeune sœur Gertrude ainsi que les cérémonies religieuses de Pâques et de Noël. Tant de sentiments pouvaient y ressurgir que je me promettais de lui apporter mon soutien le cas échéant. Elle m'avait déjà confié avoir senti bouger le plancher sous ses pieds lors de son arrivée, je ne savais donc à quoi m'attendre cette fois. Allait-elle éclater en sanglots? Subir une faiblesse? Sortir en coup de vent? J'étais prête à tout.

En pénétrant dans l'église, un samedi soir plutôt qu'un dimanche matin, elle afficha une moue déçue. Le concile œcuménique avait chamboulé les lieux et les rites, le prêtre faisant face aux fidèles en toute simplicité et s'exprimant en allemand plutôt qu'en un latin certes obscur, mais combien plus cabalistique. J'ai veillé à ce qu'elle prenne place entre tante Hélène et moi.

Assises, debout, à genoux. Nous imitions les mouvements des autres fidèles. Je la surveillais discrètement. Vint le sermon en allemand qui me sembla du chinois. Qu'éveillaient donc les paroles du prêtre chez elle? Souvenirs pénibles ou par trop exaltants? J'ai lancé un regard dans sa direction. Madame somnolait comme cela lui arrivait souvent devant son téléviseur. Et moi qui craignais une trop forte charge émotive!

Au sortir, elle m'a avoué s'être ennuyée tellement elle n'avait plus de points de repère la rattachant au passé. Cependant, pour ne pas froisser les bonnes intentions de sa sœur, elle a mis sa somnolence sur le compte du décalage horaire.

La veille du départ, un camarade qui n'avait pas eu la chance de la revoir est venu nous chercher pour nous emmener au dîner-spectacle annuel de Bexbach. Sans que rien ne fût dit, j'ai deviné qu'il avait jadis eu le béguin pour la blonde Johanna. Il en restait des manières avenantes et délicates à son endroit. Une galanterie touchante alimentée par l'émoi de sa jeunesse.

Cet homme avait été garde-chasse, ce qui piquait ma curiosité. En cours de route, je lui ai demandé en quoi consistait sa fonction car, en Allemagne comme un peu partout en Europe, la chasse est demeurée le privilège des gens fortunés.

Quelle était d'abord la nature du gibier? Dans la région de Bexbach, il s'agissait de chevreuils et de sangliers. Il devait veiller à leur viabilité et était mandaté pour abattre les individus qui pourraient rompre l'équilibre entre leur nombre et leur habitat. Alors qu'au Québec il faut un permis spécial pour chasser les femelles et leurs petits, dans son secteur, c'était le contraire, les biches étant en surnombre. Une autre différence portait sur la taille des cervidés. Là-bas, celle du chevreuil, appelé *Reh*, correspondait à celle du veau de notre cerf de Virginie. Cela me donna une idée de l'apparence des bêtes qui venaient boire au ruisseau et que le cousin Peter observait avec ses lunettes d'opéra. De grands cerfs aux bois imposants se rencontraient au nord du pays et étaient nommés *Hirsch*.

Arrivés à destination, nous sommes entrés dans une salle bondée et avons gagné les places qui nous avaient été réservées à une longue table. Évidemment, on nous reluquait un peu. Nous étions de nouveaux visages, même celui de ma mère, que l'âge avait transformé. Après que le garde-chasse eut fait les présentations, ce ne furent que sourires et *Willkommen*.

Les centres de table et la décoration de la salle dégageaient une ambiance de Noël. En bruit de fond, conversations et rires cessèrent quand les lumières s'atténuèrent. Le spectacle commença. Numéros de chant, de danse, de gymnastique se succédèrent. Sans prétention, on s'exécutait, chacun étant la vedette de parents et d'amis venus l'encourager et l'applaudir. Personne n'était là pour recueillir des lauriers, mais tous tentaient de donner le meilleur d'eux-mêmes, expérimentant les mains moites de trac avant d'entrer en scène et le pas léger de qui y connaît le succès.

La représentation avait un air de kermesse. Le spectacle terminé, on passa au repas, qui lui aussi rappelait la bonne chère de l'annuelle fête paroissiale préparée de longue haleine dans l'enfance de Johanna. Je la sentais heureuse, livrée tout entière aux réjouissances collectives et aux saveurs du terroir.

Pendant le service du café et du dessert, on distribua des feuillets contenant des paroles de chansons. Puis on baissa de nouveau l'intensité des lumières et le rideau s'ouvrit sur une chorale qui entonna *O Tannenbaum* (*Mon beau sapin*). Incroyable recueillement dans l'assistance qu'on invitait à chanter. À mes côtés, ma mère pleurait sans retenue. Des voix chevrotaient autour de moi. Émotion palpable. Communicative. Ce chant ralliait tous les cœurs, tous les âges. Il traduisait et exprimait le peuple dans ce qui constituait son essence et devait continuer à la constituer. Pour ce peuple, le sapin représentait encore l'arbre toujours vert, symbole de l'espérance.

Un moment unique, intense, qui m'a plongée dans le passé de Johanna. J'avais l'impression que tout à coup nous étions tous des enfants dans l'attente de Noël. Je pleurais aussi, comme elle. Avec elle. Je pleurais comme avait pleuré Joseph en écoutant l'*Ave Maria* au violon d'un bohémien. Je pleurais parce que c'était beau. Parce que l'horreur n'aurait jamais dû exister.

Parce qu'il y avait ce sentiment de paix et d'amour enfoui dans le temps.

Parce qu'il y avait et qu'il y eut jadis des hommes de bonne volonté.

Parce qu'il y en a et qu'il y en aura encore.

C'ÉTAIT UN VILLAGE

Comment se dire adieu sans avoir le cœur gros ? *Auf Wiedersehen*, au revoir. Ce n'est qu'un au revoir. « Nous nous reverrons, ma sœur », avait promis Hélène. Elle tint parole et vint nous rendre visite quelques années plus tard. Son fils Dieter, son épouse et leurs deux garçons également.

À bord de l'avion à destination de Montréal, j'ai demandé à ma mère si elle avait envie de retourner vivre dans son Bexbach natal. Elle m'a répondu qu'elle avait adoré y revoir sa parenté et retrouver les lieux de son enfance, mais que son pays, c'était désormais le Québec.

Avec le recul, je mesure à quel point ce voyage en Allemagne a concrétisé pour moi ce que Johanna en racontait. Je me suis promenée dans le village que j'avais décrit dans mon tout premier ouvrage, avec sa rue principale et, toujours au même endroit, sa gare, son école, son église et l'ancienne maison paternelle. J'ai vu la mine de charbon dans laquelle descendait Joseph, et des cygnes sillonnant un étang, et des vestiges de la voie romaine rappelant les fouilles effectuées dans le vieux cimetière, et le pissenlit cultivé dans un potager, et une icône que j'ai rapportée. J'ai assisté à une fête paroissiale aux allures de kermesse et entendu chanter *O Tannenbaum* avec émotion. J'ai enfin rencontré cette tante Hélène qui avait conservé une certaine autorité d'aînée, et j'ai partagé de bons moments avec mon cousin et sa petite famille chez qui nous prenions les repas. Il y a eu la langue, les plats et tant d'autres choses tels le château du roi fou, trônant sur les sommets, ses tours et ses tourelles s'élançant vers le ciel en une sorte de quête d'absolu.

Tout cela comme autant d'éléments que le récit de Johanna assemblait, telles les retailles du passé, cousues en une courtepointe par le fil de la mémoire. Courtepointe pour moi si précieuse, douillette et réconfortante, sous laquelle dorment nos enfances réunies.

RÉFLEXION

L'écriture de cet ouvrage m'a fait réaliser qu'une part de mon œuvre a été inspirée par les récits de ma mère. Le transfert du vieux cimetière n'at-il pas éveillé chez moi le désir de remonter le temps à la découverte des peuples disparus dans *Feu – La rivière profanée* ? Le fait qu'ici Johanna soit une étrangère m'a sensibilisée à la situation de l'Amérindien, pour qui le Blanc était justement l'étranger et vice versa, justifiant *L'étranger* du deuxième volet de *Feu.*

Le métissage des deux cultures dont je suis issue explique la dualité de certains personnages tel Clovis, le mi-Blanc, mi-Indien d'*Au nom du père et du fils* ; tel Pierre Vaillant, de *Fleur de lys*, tantôt le défricheur qui s'enracine, tantôt Poing-de-Fer, le voyageur qui sillonne les routes des fourrures à bord d'un canot ; tel son arrière-petit-fils Guillaume, l'ex-patriote, également Ankwi, chaussant tour à tour le bottillon de cuir à Montréal et le mocassin en Haute-Lièvre. Dualité de l'apparence chez Émile, le pilote de brousse au visage brûlé, mi-beau, mi-laid.

Otto, le grand frère intellectuel et idéaliste qui a son refuge au grenier, ne préfigure-t-il pas

Guillaume Vaillant, animé par le principe d'égalité entre les hommes et qui gîte dans une pièce pleine de livres au grenier de la maison de sa sœur? Et que dire de son ancêtre qu'on arrache à sa bien-aimée en le condamnant à perpétuité en Nouvelle-France? N'est-il pas le reflet du légionnaire de Johanna? L'histoire de mon grand-père, recueilli par des paysans russes, ne renaît-elle pas dans celle de Pierre Vaillant, soigné dans le wigwam de Petit-Renard, l'herboriste-guérisseur qui lui laisse la meilleure couche et les meilleurs morceaux à manger?

Tout au long, la saga *Feu* est marquée par l'absurdité de la guerre et l'impuissance des hommes de bonne volonté à l'empêcher. « Le fusil n'a jamais rien réglé », se transmet-on chez les Vaillant. « Plus jamais la guerre », priait Joseph devant l'icône et clamait son fils Otto sur les tribunes antinazies.

La différence entre l'ancêtre Balthazar et le duc de Homburg illustre la différence entre les grands de ce monde et les gens du peuple, que j'ai choisi de représenter. À mes yeux, ces derniers sont les mailles, une à une liées, de notre histoire. C'est avec la laine de ces gens que j'ai tricoté les « p'tites histoires » de notre histoire. Je leur ai donné des noms, j'ai réinventé leurs vies sans me douter que je puisais dans mon enfance et dans celle de ma mère.

À bien y penser, ne sommes-nous pas tous des immigrés du pays de l'enfance?

Photo de famille prise lors d'une permission de Joseph.

Lors de l'expédition au vieux château de Homburg.
Johanna se repère facilement à son médaillon qui brille au soleil.

La photo du légionnaire trouvée dans son coffret avec la lettre.

Regard d'adieu à bord du navire en partance vers le Canada.

Restez à l'affût des titres à paraître chez
Libre Expression en suivant Groupe Librex :
facebook.com/groupelibrex

edlibreexpression.com

Cet ouvrage a été composé en Adobe Caslon 12,25/15,3
et achevé d'imprimer en juillet 2018 sur les presses
de Marquis Imprimeur, Québec, Canada.

100 % post-consommation   procédé sans chlore   garant des forêts intactes^{MC}   énergie biogaz   archives permanentes

Imprimé sur du papier 100 % postconsommation,
accrédité Éco-Logo, traité sans chlore, garant des forêts intactes
et fait à partir de biogaz.